からだがよろこぶ！

ぬる湯

温泉ナビ

植竹深雪

辰巳出版

CONTENTS

（アイコン凡例・各種情報について）

☎ 電話番号
🕒 日帰り入浴の営業時間
¥ 入浴料、宿泊料

■料金は別途消費税、入湯税、サービス料等がかかる場合がございます。■宿泊料は、特に記載のない限り、1室2名利用・1泊2食付きの料金です。■泉質、pH、泉温については、基本的に各施設が公表している情報に基づき記載しています。■泉温については、実際に著者の検温によるもの、施設の方への取材などによる場合もあります。

introduction
ぬる湯のすすめ

ぬる湯とは？

温泉＝熱いもの・温かいもの。そう思う方がほとんどかもしれませんが、実は温泉ツウの間では、ぬるい温泉「ぬる湯」のファンがとても多いのです。泉温による分類は、環境省が制定した鉱泉分析法指針によると、34 ～ 42℃未満のものを「温泉」、25 ～ 34℃未満のものは「低温泉」、25℃未満の場合は「冷鉱泉」とされています。本書では、40℃未満（34 ～ 39℃）の一般的に「ぬる湯」といわれる温泉と、30℃以下の温泉を「ひんやり温泉」として紹介しています。

みなさんは、「ぬる湯」と聞いてどのようなイメージが浮かぶでしょうか？ 真夏のうだるような暑さの中、仕事や家事といった日常生活においてたまったストレスをじんわりとほぐしてくれる「ぬる湯」。そして、清涼感がたまらない「ひんやり温泉」。長湯してものぼせないというのも魅力で、もちろん肌寒い時期でも楽しめます。ゆっくりと読書や瞑想などをしていると、何時間でも入っていたくなるほど。この最高の心地よさと本当の気持ちよさを体感すれば、きっとあなたもファンになるはずです。

ぬる湯がからだにいい理由

そもそも温泉の効能による健康面や美肌への効果を期待するのであれば、源泉を薄めず、沸かさず、掛け流されたありのままの状態に入るのが理想的です。さらに、源泉から注がれる浴槽までの距離が近いほど、温泉の持つ湯力をしっかりと堪能することができます。ちなみに、全国にもわずか 30 カ所ほどしかないといわれる「足下（足元）湧出」の温泉は、源泉が湧き出す真上に湯船がつくられているため鮮度抜群。空気に触れていない生まれたての温泉は、

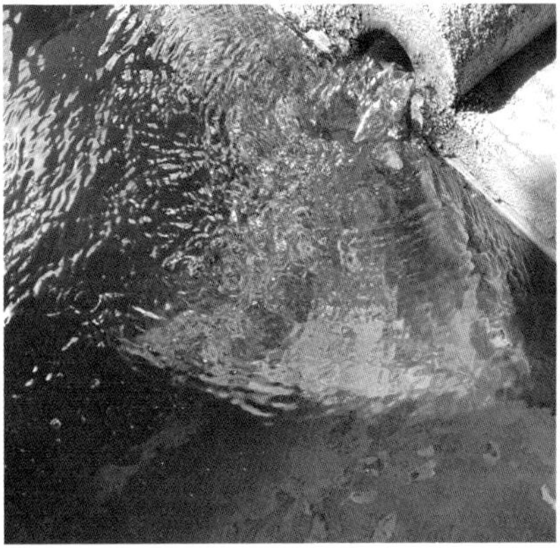

酸化や劣化が進んでいないので、私たちのからだの日々の酸化（老化）対策としてもありがたい、還元力（抗酸化力）に優れたアンチエイジングの湯なのです。

では、「ぬる湯」や「ひんやり温泉」につかるとは、どういう意味があることなのでしょうか。それはまさに、温泉が持つ力をダイレクトに浴びること。「ぬる湯」や「ひんやり温泉」は、そのほとんどが源泉温度が低くても加温していないため、ありのままに近い温泉であり、それぞれの泉質が持っている効果や効能を最大限に得られる温泉といえるのです。また、「ぬる湯」に対して「あつ湯」（一般的に42℃以上の「高温泉」といわれるもの）がありますが、これらは得られる効果がまったく別物です。あつ湯は「交感神経」が活発に、ぬる湯は「副交感神経」が優位になるといわれています。交感神経とは、運動しているときなどに活発になる神経なので、朝目覚めたとき、やる気をアップさせたいときには「あつ湯」がオススメ。一方、脳やからだがリラックスするのは副交感神経が優位になるときなので、そのためには「ぬる湯」につかるのがオススメです。

美肌やダイエットにも効果的

そんな「ぬる湯」ならではの魅力は、「保温効果」「胃腸の働きを活性化」「疲労回復」「ストレスオフ・リラックス」「安眠・誘眠」といった、大きく分けて５つの効果が期待できることです。37 ～ 39℃の温泉につかることを「微温浴」、34 ～ 37℃の温泉につかることを「不感温度浴」といいますが、特に人肌くらいの36℃前後であれば、しばらくつかっていると自分の存在がわからなくなってしまうような感覚に。からだのストレスがないまま芯から温まり、日常の疲れやこりがほぐれ

ていきます。また、胃腸の働きが活発になることで食事のおいしさをより実感できたり、ストレスも減りリラックスして、ぐっすりと良質な安眠ができるのです。

さらに、美容やダイエットにとってもうれしいポイントが。「あつ湯」の場合は、保湿成分が皮膚から流出するため、肌の乾燥の原因ともなりますが、「ぬる湯」にはそんな心配もなく、保湿成分をそのままキープしながら入浴できるのです。また、「ひんやり温泉」に入れるほとんどの施設には、加温された浴槽もあります。そこで温冷交互浴をすれば、基礎代謝が上がるため痩せやすい体質づくりができ、ダイエット効果も期待できるといわれています。ただつかるだけなのに、「ぬる湯」や「ひんやり温泉」には、こんなにうれしい要素がたっぷり。とても“からだがよろこぶ”温泉なんです。

本書は、これまで国内外2000湯以上の温泉に入り、出会ってきた数多くの「ぬる湯」の中でも、さらに筆者のオススメが詰まった一冊です。単に「ぬる湯」というだけでなく、ひんやりと感じる温度が魅力の「冷泉」や、特有の気泡が心地よい「炭酸泉」などのカテゴリーにも分けてみました。最後の章には、筆者にとって最上級のイチオシ、「一生に一度は訪れてほしい極上のぬる湯」も収録。まだこの素晴らしさを体感したことのない方には、ぜひ知っていただきたい。そんな思いで厳選したスポットをまとめました。

この本をきっかけに、実際にぬる湯温泉へ足を運んでいただき、「すっかりやみつきになってしまった」「真夏こそぬる湯やひんやり温泉で癒されたい」……などと思っていただければと。一人でも多くの方に「ぬる湯」の魅力を知っていただけるなら、この上なく幸せです。

温泉の泉質を知ろう

温泉の泉質は、温泉に含まれている化学成分の種類とその含有量によって決まり、10 種類に分類されています。温度、pH、色、におい、肌触りなど、温泉ごとにさまざまな特徴があります。

泉質名	特徴
単純温泉	**みんなが安心して入れる優しい泉質** 日本で一番多い温泉。成分が単純なのではなく、含有量が一定値に達していないもの。刺激が少なく、マイルドな温泉です。pH8.5 以上の場合、アルカリ性単純温泉とされます。
塩化物泉	**温まりの湯** 皮膚に塩分が付着するため、温泉成分のコーティング効果により、保温・保湿効果が期待できます。冷え性対策にも効果的です。
炭酸水素塩泉	**クレンジングの湯** 皮膚の表面を軟化し、肌をなめらかにするのが特徴。皮膚の脂肪や分泌物を乳化して洗い流すため、石鹸のように皮膚を洗浄します。
硫酸塩泉	**若返りの湯** 含有成分により若干効果に違いはありますが、血液に多くの酸素を送りこむ作用があり、保湿効果が期待できます。ふわりとまとわりつくような浴感で、肌にハリや潤いを与え、しっとりふっくら肌に近づきます。
二酸化炭素泉	**血行促進の湯** 炭酸ガスが毛細血管から取り込まれ、心臓に負担をかけずに血行がよくなる泉質の湯です。低めの温度の温泉でも、保温・保湿効果が大きいのも特徴です。
含鉄泉	**婦人の湯** 鉄分を含んだ湯は、源泉は無色透明でも、空気に触れて酸化すると茶褐色になります。においは 10 円玉のよう。貧血や冷え性など女性に多いからだのトラブルに効果的です。
硫黄泉	**解毒作用がある湯** ゆで卵が腐ったようなにおいが特徴。解毒作用があるので、金属中毒や薬物中毒にも利用され、慢性皮膚病にもよいとされています。ニキビや花粉症にも効果が期待できる泉質です。
酸性泉	**殺菌の湯** 肌や目にしみるほど刺激が強く、殺菌や引き締め作用が強いのが特徴。また古い皮膚を剥がして刺激を与えることで新陳代謝が促進されるピーリングの湯でもあります。
放射能泉	**万病に効く湯** ラジウム泉・ラドン泉とも呼ばれる温泉で、文字通り放射能を含む温泉。放射能というと怖いイメージがありますが、温泉中に含まれる成分は湧出後空気中に飛散するため、心配ありません。ラドンは温泉につかりながらの吸入が効果的。「ホルシミス効果」で免疫力が上がるといわれています。
含よう素泉	**体質改善の湯** うがい薬や傷薬でもおなじみの「よう素」は、活性度が高く、強い酸化力で殺菌作用を発揮。薬味がし、ピリッとした感覚です。飲泉で総コレステロールを抑制します。

PART1

全国各地のオススメぬる湯温泉

群馬県

川中温泉《かわなかおんせん》　かど半旅館《かどはんりょかん》

川のせせらぎと露天風呂からの眺めにも癒されます。

35℃　つかるだけで美肌になれる“美人の湯”

群馬県にある「川中温泉」は、和歌山県の「龍神温泉」、島根県の「湯の川温泉」と並んで“日本三大美人の湯”のひとつに数えられている温泉です。そもそも“美人の湯”とは、1920年より鉄道省（当時）によって毎年発行されていた、鉄道利用促進のために温泉や湯治を奨励する『温泉案内』の中で紹介されたことがきっかけといわれています。傷や肌の乾燥などにもよいとされる泉質で、『温泉案内』では、「色を白くする奇効がある」とも記されています。

その川中温泉の湯を唯一存分に楽しめるのがここ、『川中温泉　かど半旅館』です。日帰りでの入浴は受け入れていないのですが、そもそも日帰りなんてもったいない！　そう思える素晴らしいぬる湯が湧いています。

温泉はもちろんすべて掛け流しで、男女別の内湯と、混浴の内湯、「大湯」と呼ばれる混浴の露天風呂があります。ここで美肌に近づくためにぜひ入ってほしいのは、実は混浴の露天風呂なんです。

それはなぜかというと、季節やその日の状態にもよりますが、基本的に35℃ほどの源泉を加温せずそのまま注入しているから。そのため、混浴の露天風呂では、よりダイレクトに温泉効果が期待できるのです。

食事は地元の食材をいかした郷土料理。中でも地元名物「おっきりこみ」は優しい味わいでした。

実際の浴槽温度は源泉よりやや下がるので、冬はちょっと（だいぶ？）寒いけれど、湯口付近は温かく、湯につかってしまえば、お肌にまとわりつく浴感がとても心地いい！　ちなみに、混浴はどうしても入りづらいという方もご安心を。女性専用時間もあるので、気兼ねなくゆっくり堪能できますよ。

さらに、内湯の浴槽は加温されているので、露天と内湯を交互に入るのもいいかもしれません。私は交互浴を何度も繰り返し、のんびり楽しみましたが、湯上がり後は、スベスベでモチモチの美肌が手に入った実感があり、ひたすら感激でした。

小規模で趣のある外観で、雰囲気はとてもアットホーム。女将さんやスタッフさんの気配りと心の込もったおもてなしに触れ、素朴ながら温かみを感じるお宿に、リピーターの方が多いというのも納得です。

- 泉質…カルシウム－硫酸塩泉
- pH…8.7
- 泉温…35℃

群馬県吾妻郡東吾妻町大字松谷 2432
☎ 0279-67-3314
宿泊料：1万 2030 ～1万 4190 円
※入浴は宿泊者専用。混浴風呂の女性専用時間は 6:00 ～ 10:00、20:00 ～ 22:00

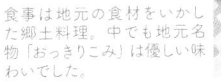

群馬県

川古温泉《かわふるおんせん》 浜屋旅館《はまやりょかん》

季節の景色を楽しみながらのんびり湯浴みできます。

39.8℃ 山奥にひっそり佇む秘湯感溢れる一軒宿

群馬県北部にある、猿ヶ京温泉郷のひとつ「川古温泉」。大正時代創業の歴史ある温泉で、水上温泉や猿ヶ京温泉よりも山奥なので秘湯感があります。この地にひっそりと佇む一軒宿が『川古温泉 浜屋旅館』です。ここに湧く素晴らしいぬる湯を求め、県内外から多くの人が訪れています。特に夏場は人気がありすぎて、日帰りでの入浴をお断りする日がしばしばあるほど。

温泉は男女別の内湯、女性専用露天風呂、混浴露天風呂の3つ。どこも37～38℃くらいに調整されたぬる湯を楽しめますが、ここはぜひ勇気を出して混浴露天風呂にチャレンジすることをオススメします。まるで化粧水のようにトロ～ッとした浴感が気持ちいいぬる湯は、長湯をしてものぼせることなく、四季折々の景色を眺めながらたっぷりと温泉を楽しむことができます。冬はさすがに寒いかなと思ったけれど、温泉に入ってしまえば大丈夫。しばらく湯につかっていると、汗がじんわりにじんできました。"湯浴み着"と呼ばれる温泉専用着がお宿で販売されていますので、それを着れば混浴の抵抗感もちょっと和らぐかなと思います。

でも、やはり混浴はどうしても無理という方は、2017年に完成した女性専用の露天

女性専用の露天風呂も完成したけれど、ここはぜひ混浴に挑戦してほしい。

風呂へ。ここは3～4人サイズのかわいい露天風呂です。内湯から湯を引いているためか、冬場は少し温度が低く感じられる気がします(手持ちの温度計では34℃)。

混浴露天風呂も素晴らしいのですが、実は私の一番のお気に入りは内湯。空気に触れることなく浴槽に注がれる鮮度抜群の温泉は、新鮮さを表す空気の細かな気泡が肌に付着するのです。これがたまらない！

さらに川古温泉は、1日5～8時間程度の入浴を1週間続けると湯治効果が実感できるそうです。「川古の土産はひとつ杖を捨て」のいわれがあるほど、昔からリウマチや神経痛によく効くと評判が高い温泉なのです。

だからなのか、本やペットボトル飲料を持参して、渓流のせせらぎに癒されながら、温泉を長く楽しんでいる人たちの姿が多く見られました。

- 泉質…カルシウム・ナトリウム－硫酸塩温泉
- pH…8.0
- 泉温…39.8℃

群馬県利根郡みなかみ町相俣 2577
☎0278-66-0888　10：00～16：00
入浴料：大人 1000 円、子ども（小学生以下乳幼児を含む）500 円／
宿泊料：9300 円～（素泊まり：6500 円）

群馬県

川場温泉《かわばおんせん》 悠湯里庵《ゆとりあん》

内湯は42℃に加温された大きな浴槽と38.5℃前後の小さな浴槽の2つ。

38.5℃ 絵画のように美しい風景に出会える湯宿

のどかな田園風景が広がる、群馬県北部の川場村にある源泉湯宿が、『川場温泉 悠湯里庵』です。その広大な敷地内には、風情あるかやぶき屋根の民家があり、どこか懐かしさを覚えます。そんな、日本の原風景に出会える湯宿なのです。

ひときわ存在感がある長屋門をくぐると、築120年以上の古民家を山形県から移築したという、かやぶき屋根の本陣。その中に進むと見事な骨董品の数々が並んでいて、まるで博物館のよう。オーナーが趣味で集めた品々だそうです。

温泉は、「武尊の湯」「弘法乃湯」「里の湯」の3つで、男女別で内湯と露天風呂があります。内湯には浴槽が2つあり、小さな浴槽が源泉浴槽のぬる湯となっています。アルカリ性単純温泉で、pH9.2のヌルヌルトロトロの浴感が気持ちいい美人の湯をたっぷりと湯浴みすることができます。さらに、加温された熱めの内湯に入ったり、露天風呂と入り比べたりしながら、楽しくこっそり美を磨くことができるのです。

こちらの湯宿、実はさまざまな演出が施されているんです。宿泊すると、部屋まではゴルフ場でよく見られる電動カートでの移動とユニーク。また、圧巻の田園風景を楽しんで

博物館レベルの骨董品の数々は見応えあります。

宿泊者限定のケーブルカーからは、圧巻の田園風景が一望できます。

露天風呂は 42.5℃に加温されています。目の前には天狗が!?

もらうためにとつくられた空間からは、まるで絵画のような美しい景色が見られます。さらに、そこへの移動には専用のケーブルカーを利用するなど、ほかでは体験できない演出や工夫も楽しいものです。

食事は、上州牛や上州豚のプランや、特に女性がよろこびそうな豆乳鍋もセレクトすることができます。ですが、最近では健康と美容の意識から、お肉や魚を食べない"ヴィーガンメニュー"なるものも登場しています。リピーターもとても多い湯宿なので、お客さんからの要望も食事に反映されているのです。ヴィーガンメニューというと、物足りなさが残ることも多いですが、こちらは食べ応えもあり、これなら男性でも満足するのでは？と思ったのでした。温泉効果だけでなく、美や健康をからだの中からも手に入れることができますよ。

- 泉質…アルカリ性単純温泉
- pH…9.2
- 泉温…38.7℃

群馬県利根郡川場村川場湯原 451-1
☎ 0278-50-1500 🕒 10：30 ～ 20：00
¥ 入浴料：大人 1200 円、子ども（3 歳～小学生）700 円／宿泊料：2 万円～

群馬県

鈴森の湯《すずもりのゆ》

内湯も大きな窓が開放感があり、季節の絶景とともに湯浴みできます。

33.5℃ 豊富な湯量でこっそりアンチエイジング

すべてが源泉掛け流しで、湯量が豊富な岩仏温泉『鈴森の湯』。内湯の小さいほうの浴槽は33.5℃の源泉浴槽で、湯の新鮮さの証ともいえる気泡が肌に付き、とにかく気持ちいい！ やわらかな浴感でスベスベする湯は、少し硫黄臭が感じられました。はじめは冷やっとしたけれど、だんだんとからだが馴染み、心地よくなってきます。

うれしいのは、酸化（錆び、老化）を防ぐ働きを表した「酸化還元率」の数値が220以上と豊富なので、アンチエイジングの手助けをしてくれるという、とてもありがたい温泉ということです。少し加温してある絶景露天風呂と交互浴で、こっそり美を磨くのにピッタリの温泉でした。

温浴施設のほか、バーベキューや釣り堀も併設されているので、特にグリーンシーズンは多くの家族連れで賑わっています。

- 泉質…カルシウム－硫酸塩泉
- pH…8.2
- 泉温…33.5℃

群馬県利根郡みなかみ町阿能川1009-2
☎ 0278-72-4696
平日11：00～20：30、土日祝日10：00～21：00（毎月第2・3・4水曜定休 8月は無休）
入浴料：大人800円、小学生500円、幼児（3歳以上）400円

群馬県

天狗きむら苑《てんぐきむらえん》

野趣溢れる混浴大露天風呂。手前の小さな浴槽には源泉がそのまま注がれています。

混浴露天風呂で湯浴みと一緒に森林浴も 36℃

群馬を代表する人気温泉地のひとつ、水上温泉から少し離れた諏訪温泉郷にひっそりと佇む『天狗きむら苑』。名前の通り、脱衣所の上を見ると天狗がいらっしゃいます。この温泉は無色透明の湯で、混浴露天風呂ひとつしかありません。ですが、タオル巻きや湯浴み着用が可能です。約40畳とかなり大きいサイズですが、3つの自然石で区切られています。

源泉温度自体42.5℃ですが、源泉がそのまま注がれている小さな浴槽以外の場所では、36～37℃くらいのぬる湯です。すぐそばを流れる川のせせらぎに癒され、森林浴をしながらのんびりと湯浴みすることで、かなりリラックスできました。ぬる湯をたっぷり楽しんだあとは、上がり湯に小さな源泉浴槽へ移動するのがオススメ。鮮度抜群の気泡が肌に付着するのが気持ちよくて感動ものです。

- 泉質…カルシウム・ナトリウム硫酸塩温泉
- pH…8.0
- 泉温…42.5℃

群馬県利根郡みなかみ町小日向326
☎0278-72-5851
🕒10：00～17：00（木曜定休）
¥ 入浴料（1時間）：800円

宮城県

駒の湯《こまのゆ》

窓の外にはブナ林が。絶景を楽しみながらぬる湯を湯浴み、至福のひとときき。

36.9℃ ふわふわと湯の花が舞う美肌の湯

栗駒国定公園の主峰・栗駒山の懐に抱かれ、森林浴が楽しめる「くりこま高原温泉地」に湧く『駒の湯』。400年以上の歴史があり、古くから多くの登山客のからだを癒してきました。そんな人気の温泉ですが、実は2008年に発生した岩手宮城内陸地震により人も建物も甚大な被害を受け、しばらく休業していたのです。

その後、多くの困難を乗り越えて、2015年10月に日帰り温泉施設として正式に復活しました。再開直後に行った友人たちが「ぬる湯で肌に付く泡がすごい！」「温泉が気持ちよすぎて寝落ち寸前！」と口を揃えて言っていたのを聞いたら、居てもたってもいられず、私も早々に温泉へと向かいました。

東北自動車道一関ICから約1時間、公共の交通機関なら、くりはら田園鉄道・栗駒駅からバスで約1時間ほどです。温泉へ到着すると、笑顔が素敵な『駒の湯』の奥様と観光物産協会の会長さんが出迎えてくれます。木の温もりが感じられる湯小屋は、受付棟とは別で男女別の内湯のみ。総木造で2〜3人サイズの小ぢんまりとした温泉ですが、とにかく湯量が豊富。温泉の鮮度抜群の湯が惜しみなくドバドバと掛け流されていて、たまらなく心地いい！

本格的な旅館業再開へ向けての日帰り施設なので、仮設のような造りです。

温泉はぬる湯がひとつのみですが、湯につかってほどなくすると、じんわり汗がにじんできます。体温に近いぬる湯は、日頃のストレスやからだのこりがほぐれていく感じで、本当に癒されます。

あまりに心地よすぎて、ウトウトしながらついつい長湯をしたくなります。まるで溶き卵のような湯の花が多く舞い、硫黄臭がしっかりと感じられる無色透明の湯は、ちょっときしむ収れん化粧水のような浴感です。湯上がり後はハリが出て、スベスベのお肌に近づいたと思うほどの湯力を感じます。2016年には休憩処も完成し、カフェメニューのほか、数量限定ですがこだわりの十割そばをいただくことができるようになりました。

休憩処でゆっくりとした時間を過ごせば、心もからだもリフレッシュできますよ。

- 泉質…含硫黄－カルシウム－硫酸温泉
- pH…4.4
- 泉温…36.9℃

宮城県栗原市栗駒沼倉耕英 88 番地
☎ 0228-46-2110　🕒 10：00 ～ 17：00
¥ 入浴料（2 時間）：大人（中学生以上）500円、子ども（小学生）300円、幼児（3 歳以上）100円

福島県

ぬる湯温泉旅館《ぬるゆおんせんりょかん》 二階堂《にかいどう》

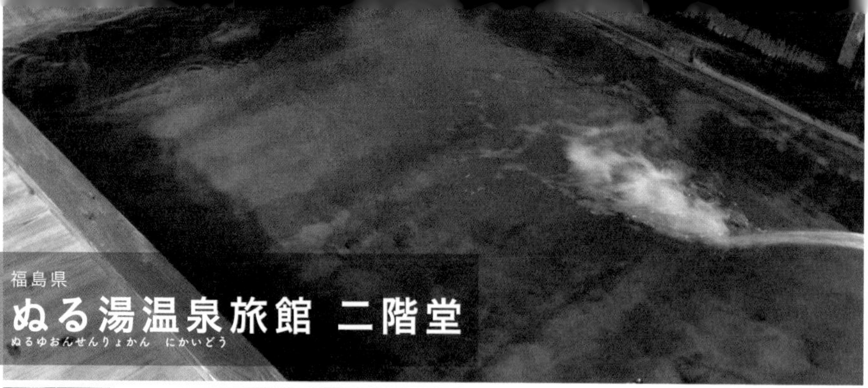

雰囲気はまるで田舎のおばあちゃんの家。ここにやみつきになるぬる湯がザーザーと掛け流されています。

29℃　細い山道の先に出会う淡い空色の湯

「ぬる湯温泉」の名の通り、ぬる湯が湧いている『ぬる湯温泉旅館 二階堂』。福島市内にある温泉なのですが、途中で舗装された道は途切れ、車1台がやっと通れるほどの細い山道を進んだ先にある一軒宿です。

温泉は男女別の内湯のみで、源泉のぬる湯浴槽と、上がり湯として利用する真水の沸かし湯の2つがあります。青みがかった湯は、浴槽の中では29℃くらいと、だいぶひんやりと感じます。ですが、夏場だとこのひんやり具合が心地よく、1時間くらいつかっていられるほどです。寒くて震えるほどからだが冷えることはなく、不思議と温かくなるというか馴染みます。少しきしむような浴感は収れん化粧水のようで、やみつきになってしまう温泉でした。でも、長い時間入浴するとやはり冷えるので、上がり湯でからだを温めてから出ることをオススメします。

- 泉質…酸性・含鉄（II・III）－アルミニウム－硫酸塩泉
- pH…2.9　● 泉温…32℃

福島県福島市桜本字温湯11
☎ 024-591-3173　🕒 10：00～17：00
¥ 入浴料：500円
宿泊料：1万950円（素泊まり：4503円）
※11月下旬～4月下旬まで冬期休業

栃木県

鬼怒川仁王尊プラザ《きぬがわにおうそんぷらざ》

「屋形船露天風呂」は、実際に鬼怒川ライン下りで使用されていたものを払い下げて使用しています。

鬼怒川の渓谷美を望む「屋形船露天風呂」38℃

関東きっての温泉街として名高い「鬼怒川温泉」。その中でも貴重な自家源泉を持ち、源泉掛け流しの温泉というのが、ここ『鬼怒川仁王尊プラザ』です。

ここでは、魅力的でバラエティーに富んだ数々の浴槽を楽しむことができます。中でも一番人気なのは「屋形船露天風呂」で、実際に一番湯の鮮度のよさを感じました。玉子臭が感じられるトロトロとした美人の湯は、38～39℃ほど。鮮度のよさを表している気泡がからだを覆う様子や、眼下の鬼怒川を眺めながら、ゆっくりと長湯して湯浴みできます。タイミングが合えば、屋形船の浴槽につかりながら、本物のライン下りの遊覧船を見ることができますよ。

ここを知っていたら、「結構な温泉ツウ」と認められるほど、温泉マニアの人たちにも支持されている温泉なのです。

- 泉質…アルカリ性単純温泉
- pH…9.7
- 泉温…40℃

栃木県日光市鬼怒川温泉大原 371-1
☎ 0288-76-2721　🕒 9：00～21：00
¥ 入浴料：大人（中学生以上）700円、子ども（3歳以上）350円／宿泊料：8500円～（素泊まり：4800円）

栃木県

元湯《もとゆ》 東家《あずまや》

内湯はトロトロで美人の湯らしさを実感する温泉です。

36℃ “夕焼け温泉郷”で味わう化粧水の湯

栃木県東部にある「馬頭温泉郷」。ここは、那珂川に面した西向きに位置し、夕焼けがとても美しいので、別名“夕焼け温泉郷”という愛称で親しまれています。この温泉郷の草分けである老舗旅館が、『元湯 東家』。馬頭温泉郷の中央部にあり、目の前が那珂川のせきとなっていて眺望がとても素晴らしいお宿です。

『元湯 東家』の温泉は、源泉が46.8℃ですが、浴槽へ運ばれるまでに冷めてしまうとのことで、内湯は温かくて適温だと感じられるくらいの加温、露天風呂も少し加温されたぬる湯を堪能できます。

内湯は、気をつけないとすべってしまいそうなほどヌルヌルトロトロで、肌にまとわりつくかのような浴感が気持ちいい美人の湯。ここだけでも十分に夕陽と温泉をセットで楽しめるのですが、さらに露天風呂も格別です。季節によって湯温は違うものの、露天風呂はぬるめの温度設定。

私が訪れたときは、湯口から少し離れたところで36℃（手持ちの温度計）。でも、体感温度はもっと低く感じました。こちらの露天風呂は基本的にぬる湯なので、夏場なら38～39℃ほどと、長湯をするにはもってこいです。新鮮な湯ならではの細かな気泡がか

露天風呂では、目の前に広がる那珂川と田園風景に感動しました。

らだに付いて、そっと肌を撫でると化粧水のようなトロッとさを感じる湯にうっとりしました。沈む夕陽をぼんやりと眺められる絶景温泉に、からだだけでなく、心も洗われたなぁと思ったのでした。

ちなみに、旅館名にもある“元湯”という言葉、多くの温泉愛好家や温泉ツウのみなさまのハートを刺激するワードなんです。この元湯とは、温泉施設や温泉宿が所有している源泉のことを指しています。

一方、元湯と書かれていない温泉は、ほかの源泉から温泉を供給してもらわなくてはならず、共有していたり、集中管理だったりするところも多い印象です。やはり温泉は、湯の鮮度のよさも見逃せないポイント。できるなら源泉からの距離が近い新鮮な温泉につかりたいものです。“還元力”も強く、これぞからだがよろこぶ温泉です。

- 泉質…アルカリ性単純温泉
- pH…9.4
- 泉温…46.8℃

栃木県那須郡那珂川町小口 1652
☎ 0287-92-3355
🕒 10:00 ～ 16:00（要問合せ）
¥ 入浴料：大人 500 円／宿泊料：8800 円～

栃木県

秘湯の宿 元泉館《ひとうのやどげんせんかん》

「高尾の湯」と呼ばれる絶景露天風呂、女性用にはすだれがかかっています。

39℃ 季節の風景に温泉情緒漂うにごりぬる湯

「塩原温泉」は、開湯1200年の歴史があり、150以上の源泉を持つ温泉地。11の湯元があり、泉質も浴感もバラエティーに富んでいるので、いくつかの温泉を巡り、はしご湯をしても楽しいエリアです。

中でも『秘湯の宿 元泉館』は、特有の温泉情緒漂うにごり湯で、露天風呂からの絶景に加え、絶妙なぬる湯を楽しむことができる湯宿です。こちらには、男女別の内湯に岩風呂（時間帯では混浴）と露天風呂、宿泊者限定の檜風呂があります。

浴室に入ると、まずはその強い硫黄臭に驚かされます。10人くらいほどが入れるサイズの内湯は、少しグレー寄りのにごり湯で、42℃くらいの温度のポカポカ温泉です。その奥へと進むと露天風呂があり、ここが39℃のぬる湯となっています。乳白色だったり、グレー寄りだったりと、日によって色が変わるにごり湯です。このぬる湯がとても心地よく、季節の絶景を愛でながらいつまでもつかっていたくなりますが、泉質柄長湯にはご注意を。岩風呂は、奥の岩盤から源泉が湧き出しているので、その姿はとても神秘的！生まれたての温泉に、それもすぐ入ることができるのは、全国各地にある温泉でもそう多くはなく、とても貴重な存在です。

源泉が間欠泉！ 宿泊者限定です。

宿泊限定混浴内湯。岩から天然の温泉が湧いています。

朝ごはんには、温泉を使ったお粥が。特有の香りと塩分が、お米の味を引き立てています。

日帰り入浴でも露天風呂のぬる湯を十分に堪能できますが、できれば宿泊がオススメです。木造の湯小屋の中にある檜風呂は、宿泊者限定。この内湯は、源泉が間欠泉なので、時間によって湯が突然勢いよく出てきます。湯が出る様子を見ると、思わずテンションが上がりますよ。

朝食付きの宿泊プランでは、温泉を使った源泉おかゆが供されます。源泉で炊いただけなのに、ほのかな硫黄特有の卵臭にほどよい塩加減がいい塩梅でした。

こちらの温泉は保健所の飲泉許可を受けているので、飲むことができます。飲むと糖尿病や痛風、慢性消化器病、便秘などに効果が期待できるのだとか。実際に飲んでみると、酸味に苦味やえぐみを感じて、正直飲みやすいとはいえませんが、からだはよろこぶのだと思ってしっかりいただきました。

- 泉質…含硫黄－ナトリウム－塩化物・炭酸水素塩温泉
- pH…6.6
- 泉温…49.1℃

栃木県那須塩原市湯本塩原 101 番地
☎ 0287-32-3155 🕒 8：00 ～ 20：00
¥ 入浴料（2 時間）：800 円／
宿泊料：1 万 500 円～（素泊まり：4500 円～）

新潟県

貝掛温泉《かいかけおんせん》

四季折々の景色とともに眼の湯治ができるぬる湯。

37℃ 優しい浴感で目の疲れを癒す湯治の湯

川端康成の小説『雪国』、その冒頭に「国境の長いトンネルを抜けると雪国であった」とある通り、冬季には群馬と新潟を結ぶ長い関越トンネルを抜け、湯沢に入った途端、豪雪に出迎えられる越後。『貝掛温泉』は、その奥湯沢にある一軒宿です。

ここの温泉には、「メタホウ酸」という目薬と同じ成分が多く含まれており、江戸時代から「目の湯治宿」として知られていたそうです。ドライアイや白内障、眼底出血といった眼のトラブルをはじめ、パソコンやスマホなどで疲れ眼がちな現代人にぴったりの温泉ですが、ここでもいいぬる湯が楽しめます。男女別に内湯と露天風呂がありますが、日帰り入浴の時間帯では、女性が源泉掛け流しの小さいサイズの露天風呂、男性が加温と源泉浴槽のある大きい露天風呂となります。宿泊すると、途中で男女のお風呂が入れ替わるので、両方の温泉に入ることができる宿泊がオススメです。

源泉湯小屋から送られる湯は、毎分406リットルと湯量が豊富で、湯口からは豪快なしぶきが飛ぶほど。そのしぶきの湯を眼にあてると、眼のトラブルに効果が期待できるのだそうです。

実際に眼をあててみると、刺激はなく、や

貝掛名物玄米粥。クコの実、とうもろこし、小豆、胡桃など入りでしみじみおいしい。

さしくて包容力があるかのような湯で、眼がご機嫌になったような気がしました。コンタクトレンズをしていた友人は、視界が明るくなったとよろこんでいましたよ。少しトロッとした浴感のぬる湯は、春は新緑、秋は紅葉、冬は雪景色の絶景とともに楽しめます。晴れた日の夜には、長湯で温泉を楽しみながら、満天の星空をぼんやり眺めるという、癒しのひとときを過ごすことができます。

内湯は42℃ほどに加温された浴槽と源泉浴槽とがあり、内湯の飲泉場には眼を洗うサイズの小さな湯桶が2つ置かれているので、ここでもしつこいくらいに眼を洗いました。内湯のぬる湯は、露天風呂以上に気泡がからだにびっしりと付いてくる、還元力のある温泉でした。上越新幹線の越後湯沢駅からバスで約30分ほどですから、比較的足を運びやすい秘湯かもしれません。

- 泉質…ナトリウム・カルシウム・塩化物温泉
- pH…8.0
- 泉温…37℃

新潟県南魚沼郡湯沢町三俣686
☎025-788-9911 🕒11:00～14:00
¥ 入浴料：（平日）1000円、（土日祝）1200円、小学生以下半額／宿泊料：1万5000円～

新潟県

栃尾又温泉《とちおまたおんせん》 宝巌堂《ほうがんどう》

静かに心と体を整える非日常のひととき。湯はフレッシュで泡付きも見られました。

35℃ 静謐な空間で過ごす至福のひととき

上越新幹線の浦佐駅からバスに乗り、田んぼ道や舗装されていない山道を30分ほど行くと、越後湯沢国定公園内にある「栃尾又温泉」に到着します。

ここは日本でも数少ないラジウム泉（放射能泉）を湯浴みすることができる貴重な温泉です。ラジウムや放射能と聞くと、少し不安になるかもしれませんが、女性にとってありがたい温泉なのです。というのも、微量の放射能が含まれているラジウム温泉は、全身の細胞を活性化させる「ホルシミス効果」が期待できるといわれる、アンチエイジングの湯だからです。

栃尾又温泉は、鮮度や湯量を保つために、『自在館』『神風館』『宝巌堂』という3軒の湯宿が共有するというスタイルを取り、大切に守られています。

「したの湯」「うえの湯」「おくの湯」と共同で使用する温泉が3つありますが、栃尾又温泉の代表的な存在となっているのが「したの湯」です。この湯は、源泉の真上に湯小屋があるので、新鮮な温泉を堪能できるのです。私もこの湯が一番印象に残っています。

温泉へ入る際には、波をたてないように静かにからだを沈めます。羊水と同じ37℃の源泉ですが、浴槽は35～36℃ほどという

『宝巌堂』はお一人様も積極的に受け入れてくれる湯宿です。

お部屋はとことんくつろぐことができます。あちこち若女将さんのセンスが光っています。

ことです。やわらかな浴感で、不感温度のぬる湯が本当に心地よくて、浮力によってからだがフワフワ浮くような感覚がありました。ぬる湯が副交感神経へじわじわ作用し、からだも心も癒してくれます。

目を閉じて、静謐な空間で過ごす瞑想の時間は、非日常感も味わえる至福のひとときとなります。2時間以上もここで過ごすという人も少なくないのだそうで、中には読書をしながら湯浴みしている人の姿も見られました。

地元の食材、季節の野菜をふんだんに使ったお料理の数々は、どれも五臓六腑に染みわたるおいしさ。新潟の地酒とも相性が抜群です。とことんくつろげる空間で、心とからだを整えるのにぴったりの湯宿です。

『宝巌堂』は、栃尾又温泉の3つの湯宿の中でも若女将さんのセンスが光っており、私のお気に入りです。

- 泉質…単純放射能泉
- pH…8.6
- 泉温…37℃

新潟県魚沼市上折立60番地乙
☎ 025-795-2216
日帰り入浴不可
¥ 宿泊料：1万9000円～

東京都

大島温泉ホテル《おおしまおんせんほてる》

ぬる湯が心地よい露天風呂。目の前に三原山が見える絶景温泉です。

38℃ 壮大な三原山とのどかな景色にほっこり

伊豆諸島の中でも、東京・竹芝から一番近く、一番大きな島である伊豆大島。島内を走る車のナンバーは「品川」ですし、ここは東京都だとはもちろん知っていても、ちょっぴり不思議な気分になったりします。それはきっと、そこに流れている“島時間”がとてものんびりとしていて、非日常を感じてしまうから。島ならではの特有の雰囲気が心地よく、とことん癒されます。

伊豆大島には温泉がいくつか湧いており、その多くは元町港周辺にあります。この日は、せっかく大島に来たのだからと、日帰り入浴ができない湯宿以外、すべての湯巡りをしました。その中で私が一番感激した温泉が、ここ『大島温泉ホテル』だったのです。

島の中央に位置する三原山の七号目近くにあり、元町港から徒歩圏内の温泉に比べれば、送迎バスか車がないと行きづらい場所ですが、ひときわ秘湯感が漂う温泉です。

こちらの温泉は、男女別の加温された内湯と、源泉掛け流しの湯をダイレクトに楽しめる38～39℃ほどのぬる湯の露天風呂があります。露天風呂につかり、目の前に広がる三原山を拝むとまさに絶景。そののどかな景色にほっこりしながら、ぬる湯をたっぷり

美容液にも使用されるメタケイ酸を豊富に含んだ温泉は、肌によく馴染みます。

露天風呂はこの日、39℃の心地よいぬる湯でした。日によって前後するそうです。

堪能することができます。

温泉の温度にもすぐにからだが馴染むので、冬場の露天風呂であっても、寒く感じることはまったくありません。

伊豆大島といえば椿油が有名ですが、『大島温泉ホテル』では、その椿油を使ったオイルフォンデュも人気です。宿泊すれば夕食に並びますが、日帰りでもランチでいただくことができるので、ぬる湯と一緒にぜひオススメします。私が訪れた時期は、椿の花の見頃からは少しずれたオフシーズン。そのためもあってか、温泉は思っていたほど混んではいませんでした。

加温された内湯との交互浴をしながら、万人受けするような、やわらかな浴感がとても心地いいぬる湯に美肌効果を期待しつつ、最後までゆっくりのんびりと、湯と絶景をとことん味わい尽くすことができました。

● 泉質…単純温泉
● pH…6.9　● 泉温…84.2℃

東京都大島町泉津字木積場 3-5
☎ 04992-2-1673
🕒 6：00 ～ 9：00、13：00 ～ 21：00
¥ 入浴料：大人 800 円、子ども 400 円／
宿泊料：1 万 2474 円～
※宿泊者の利用時間は15：00～24：00、5：00～9：00

東京都

浜の湯《はまのゆ》

ひょうたんのような形の露天風呂。目の前には太平洋が広がっています。

38℃ ホカホカの湯から望む感動のサンセット

伊豆大島の元町港から徒歩３分、長根浜公園内にある『浜の湯』は、1986 年の三原山噴火後に湧き出した湯を利用して作られた温泉です。

ここは内湯はなく、露天風呂と脱衣所のシャワーのみ。30 人くらいは同時につかれるほどの、広い浴槽の露天風呂は混浴ですが、水着の着用が必須なので、女性も安心して温泉を楽しむことができます。目の前は太平洋、晴れた日は富士山まで見渡せる大パノラマの景色は、サンセットも感動の美しさです。温泉は、冬場でも寒くは感じない塩化物温泉で、ホカホカしてきます。

少し加温された温泉は、浴槽が広いので場所によって 38 ～ 41℃くらいの温度差があります。浴槽内を移動してみたり、出たり入ったりしながら、ぬる湯と絶景をのんびりと楽しみ、とことんリラックスできました。

- 泉質…ナトリウム－塩化物温泉
- pH…6.9
- 泉温…32.2℃

東京都大島町元町字トンチ畑 882
☎ 04992-2-2870　◷ 13：00 ～ 19：00
¥ 入浴料：大人 300 円、
子ども（小中学生）150 円
※ 7 ～ 8 月の営業時間は 11：00 ～ 19：00

長野県

高峰温泉《たかみねおんせん》

ぬる湯の源泉浴槽がある内湯。ここはランプの雰囲気もステキなんです。

標高2000メートル雲上のランプの湯 35.6℃

長野県小諸市にある『高峰温泉』。ここは標高2000メートルの高さにあるので、標高をいかした宿のご主人手作りの雲上の野天風呂（露天風呂）からは、雲海や星空などの絶景を楽しむことができます。

雲上の野天風呂は男女別で加温されていますが、内湯には源泉35℃ほどのぬる湯を楽しめる温泉があって、実はここ、湯も雰囲気も最高なんです。

木造の浴槽は2つに区切られていて、大きいほうが加温浴槽、小さいほうが源泉浴槽となっています。硫黄臭が感じられる湯は、ヌルヌルとしてスベスベする浴感。源泉浴槽は35～36℃ほど。じっと静かに湯につかっていると、細かな気泡が全身を包み込みます。景色も楽しめる大きな窓とランプが素敵な雰囲気を醸し出し、感動のぬる湯をさらに演出していました。

- 泉質…含硫黄－カルシウム・ナトリウム－硫酸塩温泉
- pH…7.0
- 泉温…35.6℃

長野県小諸市菱平704-1
☎0267-25-2000
11：00～16：00（「ランプの湯」のみ）
入浴料：大人500円、子ども400円／宿泊料：1万6650円

長野県

滝の湯《たきのゆ》

新緑・深緑・紅葉・雪景色……、いつ行っても絶景が広がる混浴露天風呂。

38℃ 巨大露天風呂は優しい浴感の混合泉

信州・高山村の松川渓谷沿いにある秘湯の一軒宿『滝の湯』。ここは昔ながらの湯治宿の雰囲気がある湯宿です。渓谷美と四季折々の絶景を楽しむことができる温泉は、男女別の内湯と露天のほか、混浴の大露天風呂があります。

こちらの名物温泉は、甲州一と謳うほど広い大露天風呂で、なんと、その大きさは全長17メートル！ 大きな岩で囲まれていて、すぐ目の前には松川が流れています。混浴ですが、バスタオル巻きや湯浴み着でも入浴できるので、女性の姿も多く見られます。

温泉の温度は、38～39℃のぬる湯。露天風呂は、以前から40℃前後とぬるめの印象でしたが、2019年の台風19号の影響で、さらに湯の温度が下がったのだとか。

２本の源泉を使用した混合泉は、少し硫黄臭も感じられ、優しい浴感が心地よい湯。また天然化粧水ともいわれる「メタケイ酸」も含まれているので、肌がしっとりと潤うのを実感できました。小鳥のさえずりが聞こえ、すぐそばを流れる川のせせらぎに耳を傾けながら、のんびりと湯浴みができる絶景のぬる湯には、とことん癒されます。松川渓谷といえば、紅葉が美しいといわれていますので、秋は特にオススメです。

巨大でワイルドさがある露天風呂は、秋の見事な紅葉の時期が特にオススメです。

泉質のよさをとことん味わうなら内湯へ。

名物の大露天風呂はもちろん素晴らしいのですが、多くの湯の花が舞う内湯のほうが、泉質が持つ湯力をダイレクトに感じられました。大きいほうがぬる湯で、小さいほうがあつ湯。両方を交互に入りながら、日頃のストレスを湯で解消し、こっそり美肌へと近づけたのでした。

内湯の一角には上がり湯と湧き水が出ている場所があります。上がり湯は源泉なので、湯から出るときにサッとからだに掛けました。隣の冷たい湧き水にはコップが置いてあり、実際に飲んでみるとクセがない軟水でおいしかったです。のんびり長湯をしたあとの水分補給にはぴったりな湧き水でした。

『滝の湯』から歩いて５分ほどのところには名瀑「雷滝」があり、裏側から豪快に流れる滝の様子を見ることができます。ぜひ散策してほしいスポットのひとつです。

- 泉質…（第１源泉）カルシウム・ナトリウム－硫酸塩・塩化温泉、（第２源泉）単純温泉
- pH…（第１源泉）7.99、（第２源泉）7.6
- 泉温…（第１源泉）64℃、（第２源泉）55.2℃

長野県上高井郡高山村奥山田 3681-377
☎ 026-242-2212　🕒 10：00 ～ 18：00
¥ 入浴料：大人 500 円、子ども（小学生以下）300 円、3 歳以下無料／宿泊料：4400 円～（素泊まり）

長野県

白骨温泉《しらほねおんせん》 泡の湯旅館《あわのゆりょかん》

青みがかったにごり湯と、季節の絶景のコラボを楽しみながらぬる湯を堪能できます。

37℃ 乳白色ににごる開放感抜群の露天風呂

『白骨温泉 泡の湯旅館』は、「3日入れば3年風邪をひかない」と古くからいわれているほど、湯治効果が高いと評判の温泉です。温泉は、男女別の内湯と露天風呂、混浴の大露天風呂があります。

約70坪という広大な大露天風呂は、季節によりますが37～39℃ほどのぬる湯。ゆったりと湯につかりながら、周囲の絶景を楽しむことができます。

男女それぞれアプローチが別となった、たくさんの湯の花が舞う乳白色のにごり湯へは、女性更衣室から湯につかりながら移動することができます。

温泉は炭酸ガスを含む硫黄泉。地下100メートルから自噴している温泉は、3カ所から露天風呂に投入されています。湯が注がれている付近では、からだへの泡付きも見られます。混浴の大露天風呂も素晴らしいのですが、実は湯の鮮度がよくて最高なのが、源泉をそのまま投入している内湯なのです。

ここは宿泊者専用なので、この湯のためにもぜひ宿泊をしてほしいと思います。檜造りで昔ながらの湯治場の雰囲気を醸し出した風情のある内湯は、浴槽が2つに仕切られていて、源泉にそのまま入ることができる源泉浴槽と、熱交換で昇温したあつ湯の浴

内湯の大きい浴槽のほうが源泉をそのまま楽しむことができる、ぬる湯の炭酸温泉です。

槽とがあります。

旅館名に「泡の湯」と付くように、源泉の湯につかると、炭酸特有のアワアワがからだをびっしりと覆います。体温に近い不感温度のぬる湯は、少しとろみを感じる浴感で、湯とからだが一体化するかのような感覚で本当に気持ちいい！

あつ湯と交互に入りながら、炭酸を多く含んだ泡の湯を堪能できます。このほか、男女別の小さな露天風呂もあり、とことん温泉を楽しむには申し分ありません。

温泉といえば、やはり四季折々のうつろう景色を愛でながら露天風呂につかりたい、そしてできれば特有の温泉情緒が感じられる硫黄のにおいの乳白色のにごり湯であれば、なお最高 ──、その思いを全部かなえてくれる温泉が、ここ『泡の湯旅館』かもしれません。

- 泉質…含硫黄－カルシウム・マグネシウム－炭酸水素塩温泉（硫化水素型）
- pH…6.3　● 泉温…37.3℃

長野県松本市安曇 4181
☎ 0263-93-2101
🕒 10：30 ～ 13：30（14：00 退館）
¥ 入浴料：大人（中学生以上）1000 円、子ども（3 歳～小学生）600 円／宿泊料：1 万 6000 円～

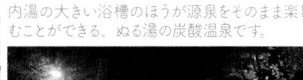

山梨県

佐野川温泉《さのがわおんせん》

湯につかりながら、春は満開の桜が。晴れた日の星空もきれいです。

30.9℃ 岩の間から湧き出る鮮度抜群のぬる湯

山梨と静岡の県境に位置する佐野川沿いにある湯宿『佐野川温泉』。昭和49年、「硫黄のにおいがする水が流れている」のを発見したご主人が土地を購入し、旅館を始めたのだそうです。

岩の間から湧き出る天然の単純硫黄泉で、糖尿や痛風などに効果があると評判になり、「湯治の湯」として多くの人たちのからだを癒し続けてきました。

今も朝早くから夕方までと、比較的長い時間日帰り入浴も積極的に受け付けていて、平日でも地元の常連客はもちろん、遠方からも多くの温泉ファンが訪れています。私も以前から、こちらの温泉の評判をあちらこちらで耳にしていたので、極上のぬる湯との出会いをとても楽しみに温泉へと向かいました。温泉は、男女別の内湯と露天風呂があり、すべて源泉掛け流し。

まず内湯へとドアを開けると、はっきりとした硫黄臭が鼻腔をくすぐります。内湯は2つに区切られていて、30.9℃の源泉がそのまま注がれた浴槽と、40℃ほどに加温された浴槽があります。源泉は、はじめはひんやりと感じるものの、じっとつかっているとポカポカに。そしてトロトロとした浴感がとても気持ちいい!

ぽつんと一軒宿で、秘湯感が漂い、里山のようなのどかな雰囲気。内湯は特に鮮度抜群のぬる湯が味わえます。

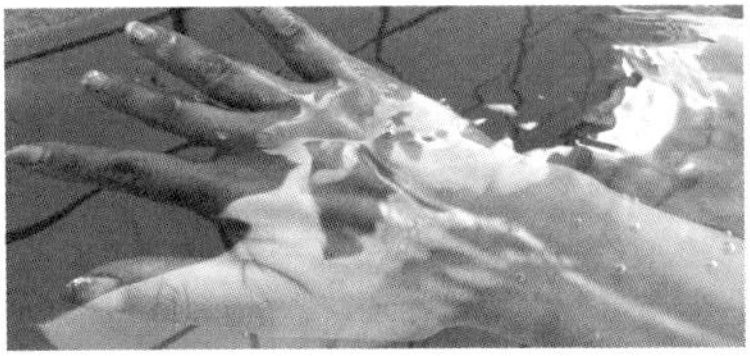

また、湯口付近で見られるフレッシュな証のアワアワがからだを覆う様を見ていると、思わずテンションも上がり、いつまでもずっとこの湯につかっていたいという気持ちになりました。

広めの露天風呂も加温浴槽と源泉浴槽とに分けられています。露天風呂は季節と天気次第で温度が違うため、夏はぬるめとはいえ内湯より熱く感じます。

それとは逆に、風が吹いている冬場は結構ひんやり。加温された浴槽でも、加温されているとは思えないほど冷たく感じますが、やはりつかっていると温かく感じてくるから不思議です。露天の源泉浴槽でも、気泡がしっかりとからだに付着しました。

春は桜を愛でながら、秋は紅葉にうっとりしながら……、季節の風景とともに極上ぬる湯を味わえる温泉です。

- 泉質…アルカリ性単純硫黄温泉
- pH…9.9
- 泉温…30.9℃

山梨県南巨摩郡南部町井出 3482-1
☎ 0556-67-3216
🕒 8：30 ～ 19：30
¥ 入浴料（1 時間）:大人 650 円、小学生 450 円、幼児 300 円／宿泊料：9700 円～

山梨県

湯宿《ゆやど》 梅ぞ乃《うめぞの》

温泉は内湯のみ。広い浴槽が源泉、狭いほうが少し熱めの源泉です。

35℃ 素晴らしい日本庭園を眺め湯浴みする

1200年の歴史を持つとされ、“武田信玄の隠し湯”としても知られる山梨県の下部温泉郷。山梨でも有数の温泉地で、名湯百選にも選ばれている下部温泉の優れた効能は、昔から多くの人たちを魅了しています。

昭和30年創業の『梅ぞ乃』は、清流沿いにひっそりと佇む下部温泉郷の静かな湯宿です。建物正面のエントランスからは一見想像し難いのですが、実際に中へ入ると素晴らしい日本庭園が広がっています。

ここは宿の雰囲気はもちろん、ぬる湯の温泉も含め、女子好みな要素がたっぷりの湯宿なのです。

温泉は内湯のみですが、大きめの窓からは手入れの行き届いた日本庭園をはじめ、季節感を感じさせる山々や、ゆるやかな富士川の流れを見ながら湯浴みができます。

源泉は31℃ほどと温度が低めなため、多少加温されているようですが、それでもぬる湯の温度は35℃前後です。

温泉は、もともとある源泉の大きめな浴槽のぬる湯（35～36℃ほど）と、新源泉の小さい浴槽のあつ湯（42℃ほど）の2つの浴槽があります。大きめな浴槽は、10人くらいが同時に入れるサイズ。

ぬる湯とあつ湯に交互に入ることで、から

新鮮な温泉の証、でアワアワが付着します。これが気持ちいい！

だの芯から温まります。

内湯だということもあってなのか、冬などの寒い季節では、温度差はさほど感じられません。

源泉掛け流しの湯は、無色透明で刺激が少ない感じです。控えめながらも硫黄特有のにおいが浴室内に漂っています。浴槽から見える木々など、季節ならではの景色を眺めながら、ただただぬる湯にゆっくりとつかっているだけで、心もからだも本当にリラックスできるんです。

また、山梨といえば、桃やぶどうをはじめとした果物の生産量が多い、フルーツ天国でもあります。

ぬる湯が心地よいシーズンであれば、夏の旬を迎えた果物も野菜もどれもがおいしいので、温泉のついでに旬のものを買って帰るのもいいですよ。

- 泉質…アルカリ性単純温泉 ほか
- pH…9.03
- 泉温…31.6℃

山梨県南巨摩郡身延町上之平 1848-8
☎ 0556-36-0306　🕒 10：00 ～ 16：00
¥ 入浴料：大人 1100 円、子ども 550 円／宿泊料：9900 円～
※内湯の入浴時間は 5：00 ～ 0：00

富山県

明日山荘 さか栄《あけびさんそう さかえい》

「富山湾」の露天風呂からは、のどかな田園風景と日本海を見渡すことができます。

32℃ 自然豊かな景観に包まれる露天風呂

富山県黒部市、黒部川扇状地を見渡せる小高い丘の上にあり、キャンプ場に隣接している『明日山荘 さか栄』。「自然の中の民宿」と謳う通りの自然豊かな景色に、それだけでもなんだかほっこりさせられます。

こちらはもともと建設会社の保養所として利用されていた施設を一般にも開放したもので、日帰りの入浴でも貸切制、かつ事前予約が必要です。

浴室は、「富山湾」「日本海」と名付けられたものの2つ。浴槽の形や露天風呂から見える景色が違うのですが、私が訪れたときに案内していただいたのは「富山湾」。浴槽は樽風呂の内湯と露天がひとつずつあり、源泉の温度は32℃とぬる湯の中でも低めですが、内湯のほうは季節やその日の気温などの状況に合わせて加温してあります。その浴槽には源泉と加熱された湯が出る2つの蛇口があり、入るときにカスタマイズできるようにもなっているので、ぜひ源泉多めでつかりたいところ。

一方、源泉がそのまま注がれるのが露天風呂。そこからの眺めは、目の前に広がるのどかな田園風景がとてもきれいで、さらにその先に、日本海も見渡すことができるのです。

内湯は加温浴槽。源泉を注いで温度調節が可能です。

笹にごり色した湯は、少しぬめりを感じるツルツルスベスベの浴感。訪れたのが冬だったので、32℃の露天風呂に入るなんて、これは修行？　とはじめは思ってしまいましたが、つかっていると不思議なくらいホカホカしてくる感覚がありました。それでも露天風呂だけでは少し寒く感じられるようであれば、内湯の加温浴槽との交互浴ができるので、源泉をじっくり堪能することができます。

館内の受付そばの空間は、地域のコミュニティスペースにもなっていて、夜はお酒の種類も豊富なバーの営業もしているそうです。

通常は日帰りで利用する方が多いそうですが、次に訪れるときにはぜひ宿泊して、夕映えの空や満点の星空の下の露天風呂と、この場所で過ごす夜を楽しんでみたいと思ったのでした。

- 泉質…ナトリウム－塩化物・炭酸水素塩泉
- pH…不明
- 泉温…32℃

富山県黒部市宇奈月町土山 31
☎ 0765-65-2121　🕒 11：00 ～ 20：00
¥ 入浴料：大人 800 円、中学・高校生 500 円、小学生 300 円、幼児無料／宿泊料：4200 円～（素泊まり）
※日帰り入浴は要予約

源泉 34 ～ 35℃の内湯はいつまでも入っていたくなるほど、心地よい温泉です。

34℃ 心地いいパワフルな湯と料理も堪能

奥美濃の山間にひっそりと佇む秘湯、神明温泉『湯元 すぎ嶋』。

建物は築 150 年のお屋敷を移築したということで、外観だけでも歴史の重みを感じる、雰囲気も素敵な湯宿です。館内に入ると、廊下は驚くほどピカピカでうっとりするほど美しく、建物が大切に守られているということが感じられます。

湯量が豊富な温泉は、露天風呂や貸切露天風呂、内湯を合わせて 8 種類あります。そして内湯には、手元の温度計では 34℃の源泉をそのまま浴びることができるぬる湯とあつ湯があり、ダイエット効果が期待できる交互浴もできるのが魅力的です。

宿泊だけでなく、日帰り入浴も利用でき、貸切露天風呂（別途料金）もあるのですが、泉質のよさをダイレクトに感じられるのは、やはりなんといっても内湯です。

湯の花が舞う温泉は、わずかな硫黄臭が鼻孔をくすぐります。アルカリ性単純温泉ならではといえるやわらかさが感じられる湯は、ヌルヌルトロトロの浴感で、体温より低くても寒いという感じはありません。本当に心地のいい温泉です。

つい、ゆっくりとつかり湯を堪能したくなりますが、あなどってはいけません。クセは強

ぬる湯が心地いい湯宿ですが、お料理の評判も高いんです。

くないながら、同時にパワフルさも感じられる温泉です。長湯をしては、少し湯疲れ・湯あたりをしてしまうかも。それさえ気をつければ、２人以上が入ったら少し窮屈に感じそうな小ぢんまりとしたサイズの浴槽で、鮮度のよさをあらわす細かな気泡も楽しめて、なんとも至福のひとときを味わえます。

そして、湯をじっくり堪能するためだけでなく、ぜひ宿泊してほしいと思う、もうひとつのポイントがお食事です。

ここ最近では、ただただ豪華な懐石風のおもてなし料理だけではなく、地元ならではの素朴な郷土料理をいただける湯宿も次第に増えてきましたが、『湯元 すぎ嶋』も後者のひとつ。一流ホテルで働いていた若旦那がふるまう、素材にこだわったお料理は、見た目も味も素晴らしく、どれを食べても絶品でした。

- 泉質…アルカリ性単純温泉
- pH…8.88
- 泉温…37℃

岐阜県関市板取 4838
☎0581-57-2532　🕒11：00～15：00
¥ 入浴料：大人（中学生以上）800 円、子ども（3 歳～小学生）400 円／宿泊料：1 万 5500 円～

静岡県

伊豆畑毛温泉《いずはたけおんせん》 誠山《せいざん》

L字型の露天風呂は、夏には35℃のぬる湯が楽しめます。

30℃ 静岡の中ではひと味違うぬる湯の名湯

全国でも有数の国民保養温泉に指定されている「伊豆畑毛温泉」。熱海や伊東界隈とはまた違った趣があり、湯を静かにじっくりと堪能できる環境が整っていると感じる温泉地です。

その中でも、『伊豆畑毛温泉 誠山』は、ぬる湯の名湯でもあり、2018年2月に老舗温泉旅館をリニューアルした湯宿です。若山牧水は伊豆畑毛温泉のことを「長湯して あかぬこの湯のゆるき湯に ひたりて安き 心なりけり」と詠んでいるのですが、実は知る人ぞ知る穴場のぬる湯温泉かもしれません。内湯は3つに区切られていて、源泉そのものが注がれている30℃の浴槽のほか、35℃、41℃の加温浴槽が並んでいるのですが、やはりできれば源泉浴槽を中心につかりたいもの。長くじっくりつかることで、ポカポカしてくる温泉でした。

- 泉質…アルカリ性単純温泉
- pH…8.7
- 泉温…30℃

静岡県田方郡函南町畑毛 244-4
☎ 055-978-3661　🕒 7：00～23：00
¥ 入浴料：（2時間）580円、（3時間）750円、（終日フリー）900円 ※土日祝日はプラス100／宿泊料：9900円～（素泊まり：6600円～）

三重県

湯元《ゆもと》 榊原館《さかきばらかん》

酸化還元力が高いぬる湯温泉は、フレッシュな泡付きで浴感が最高です。

トロトロの浴感で恋の病にも効果あり？ 31.2℃

伊勢神宮の近くにある榊原温泉の『湯元榊原館』。平安時代、清少納言が『枕草子』で「湯は ななくりの湯 有馬の湯 玉造の湯」と詠った三名泉のひとつである「ななくりの湯」が現在の「榊原温泉」です。鎌倉～室町時代には、恋の病に効く温泉としても多くの歌人に詠われています。

こちらは、フロントと温泉がある本館の間をケーブルカーのようなリフトで移動できるのがユニーク。

内湯と露天風呂と合わせていくつかの温泉がありますが、硫黄臭がありトロトロヌルヌル感が強く、細かな気泡も付着します。さらに酸化還元力が高い温泉で、細胞のサビを元に戻してくれるのです。源泉そのままの浴槽は温度が31．2℃なので、加温された浴槽と交互に入り、心地いい浴感の湯を絶景とともに堪能しました。

- 泉質…アルカリ性単純温泉
- pH…9.4
- 泉温…31.2℃

三重県津市榊原町 5970
☎ 059-252-0206　🕒 9:00 ～ 20:00
¥ 入浴料：大人 1000 円、
子ども（3 歳～小学生）500 円／
宿泊料：1 万 4450 円～（素泊まり：8950 円～）

島根県

小屋原温泉《こやはらおんせん》 熊谷旅館《くまがいりょかん》

ひなびた浴室。でもここは、極上の炭酸を含むぬる湯を味わうことができるのです。

37℃ 自然の力と湯力を浴びるひなびた温泉

三瓶山のふもと、三瓶川のそばに佇む『小屋原温泉 熊谷旅館』。こちらは、寛政の時代（およそ200年以上前）に開湯した歴史ある湯治宿です。大きな看板もなく、一見すると小さな公民館か、昔の学校のようにも見える外観からも、重ねられた時を感じます。

ここは温泉愛好家にも人気があり評価もとても高い温泉で、ぬる湯が一段と恋しくなる夏場となると、休日には混雑し順番待ちの人も増えるのだそうです。

浴槽はというと、大浴場はなく貸切の家族風呂が4つ。それぞれ形やサイズが異なります。浴室に入ると、そこには金気《かなけ》臭が漂い、鉄分で赤茶色になった浴槽が目に入ります。まわりは温泉成分が固まった析出物に覆われ、その形状はまるで千枚田のよう。自然の力ってすごいなぁ……と、あらためて思い知らされます。そして、温泉の湯力もやはりすごかった。

規定の数値を超えていないので炭酸泉とは名乗っていないのですが、自噴で炭酸ガスを含む源泉が浴槽に直に引かれいている、とてもフレッシュな温泉です。

つかるとすぐ、1分も経たないうちに、からだ全体がアワアワに包み込まれました。そうして、小さな泡同士がくっついて次第に大

ひなびた雰囲気に一瞬ドキッとするかもしれませんが……、湯はとにかく極上です。

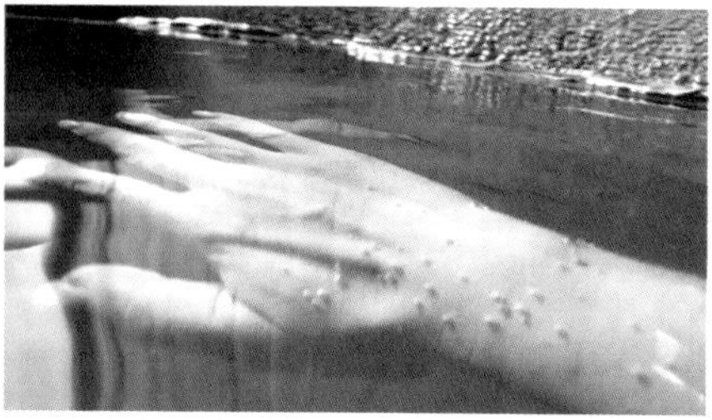

きな泡となり、その泡がはじける様子を見ているのが本当に楽しくて、テンションはずっと上がりっぱなし。そうしているうちに、37℃ほどのぬる湯ですが、芯からポカポカしてきます。

温泉旅館としては、現在は1日3組限定。日帰りであれば、1時間の時間指定で入浴することができますが、できればやはり宿泊して堪能したいところです。川のせせらぎに耳を傾けながら、泡も楽しめる新鮮なぬる湯につかっていると、1時間なんて本当にあっという間に過ぎてしまいます。

私が普段湯巡りをするときには、限られた時間の中でよりたくさんのいろいろな温泉と出会いたいので、ひとつの温泉に長い時間とどまることはあまりないのですが、ここは別。湯から上がるのがとっても名残惜しくなる温泉です。

- 泉質…ナトリウム－塩化物温泉
- pH…6.0
- 泉温…37.8℃

島根県大田市三瓶町小屋原 1014-1
☎0854-83-2101
🕘9：00～14:00（受付）15：00（終了）厳守
¥ 入浴料（1時間）：500円／宿泊料：9000円～
※入浴は宿泊客優先のため、日帰りは不可の場合も

佐賀県

鶴霊泉《かくれいせん》

温泉遺産にも認定されている「砂湯」（右）は、全国でも珍しい温泉です。

36℃　傷を癒した鶴の逸話のある美人の湯

「鶴霊泉」は、2000年以上の歴史ある古湯温泉に湧く4本の源泉のうちのひとつ。足に傷を負った鶴がその傷を癒し、数日後には飛び立っていったという逸話からそう呼ばれています。その湯が守られているのが“鶴の恩返し　よみがえりの宿”と謳う『鶴霊泉』。2020年に創業60周年を迎えた湯宿ですが、2016年のリニューアルで、モダンでスタイリッシュな、大人がゆっくりとくつろげるような雰囲気に。

ここの名物は、全国でも希少な足元湧出の「砂湯」。地下250mから36～37℃の生まれたての温泉が、そこに敷かれた砂の間からぷくっぷくっと湧いています。体温ほどの温度にじんわりとこりがほぐれ、幻想的な雰囲気の中ヌルッとした浴感の美人の湯をたっぷり楽しめます。最後に手前の加温浴槽で上がり湯をするといいなと思ったのでした。

- 泉質…アルカリ性単純温泉
- pH…9.28
- 泉温…36℃

佐賀県佐賀市富士町古湯875番地
☎0952-58-2021
🕒11：00～15：00
¥ 入浴料：大人1000円、子ども500円／
宿泊料：1万2850円～（素泊まり：5850円～）

鹿児島県

おりはし旅館《おりはしりょかん》

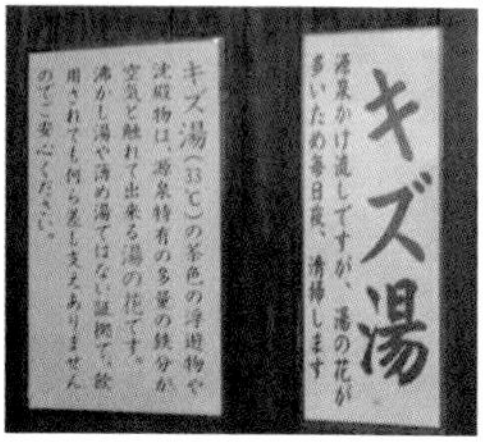

露天風呂も素晴らしいけれど、ここはやはり内湯の「キズ湯」を味わってほしいです。

隠れ家的風情ある湯宿で味わう自噴泉　33℃

鹿児島空港から車で20分ほどのところにある『おりはし旅館』は、創業140年以上の歴史ある温泉ですが、2016年にリニューアルされてから、これまで以上に“大人の隠れ家”といった風情の湯宿になりました。

温度も泉質も異なる３本の源泉を楽しむことができますが、こちらの湯宿でもっとも名物なのは、「キズ湯」と呼ばれる自噴泉のぬる湯なのです。キズ湯は、その名の通り切り傷や虫刺されのほか、術後の傷口の回復促進に期待ができる湯です。仲居さんいわく、切り傷から出ていた血もキズ湯につかるとすぐに止まるのだとか。湯温は33℃なので少しひんやりもしますが、その目の前にある「あつ湯」と呼ばれる43℃の竹の湯でからだを温めてから入ると、とても心地いい温度。入浴は20分程度が有効とのことですが、ついつい長湯したくなります。

- 泉質…ナトリウム・マグネシウム・カルシウム・炭酸水素塩温泉
- pH…6.3　● 泉温…33℃

鹿児島県霧島市牧園町下中津川2233
☎ 0995-77-2104　🕘 9：00 ～ 17：00
¥ 入浴料：500円／
宿泊料：1万5000円～（素泊まり：5000円～）

「温泉マナー」10箇条

温泉は多くの方と一緒に共有する場所です。
みなさんで気持ちよく楽しめるように、
そしてよりたっぷりと温泉効果を得るためにも、
しっかりとマナーを守って利用しましょう。

1 入浴前は十分に水分補給を

入浴すると発汗により血液がドロドロの状態になりがちなので、入浴する15～30分くらい前までに水分補給をして、血液をサラサラにしましょう。中でも緑茶のようにビタミンCを含んだ飲み物は湯あたり防止にも効果的です。

2 掛け湯はたっぷりと十分に

掛け湯はからだの汚れを落とすというマナーの意味だけではなく、温泉の湯にからだを慣らすという意味もあります。なので、できればシャワーではなく浴槽の湯で、湯桶などを使用してかけ湯を。心臓から遠い足先から10～20回ほどたっぷりと掛け湯をしましょう。

3 髪が長い人はしっかりとまとめて

長い髪が湯につかっているのを見るのは、気持ちがいいものではありません。また、髪の毛は常に空気に触れているため、細菌やウイルスが付着しています。湯を汚さないようにするためにも髪はまとめて入浴しましょう。

4 タオルは温泉に浸さない

タオルを湯の中に浸すのは絶対にNGです。おろしたての一見きれいなタオルでも、空気中の雑菌やウイルスが付着しています。レジオネラ菌を温泉に持ち込むことにもなりますので、タオルを浸すときは湯桶を使用しましょう。

5 地域によるルールにも注意

地域独自のルールにもご注意を。例えば、別府温泉の共同湯では、温泉のふちは枕と考えられるため、腰掛けるのはNGです。また、那須にある鹿の湯では、高温の温泉には勝手に出入りしない（頻繁に湯が揺れると熱いため）などがあります。

6 いきなり湯口には入らない

湯が注がれている部分を湯口といい、そこから一番離れているところを湯尻といいますが、湯口＝上座、湯尻＝下座とも考えられています。いきなり湯口に向かうのは、先に入っている人たちに対し失礼にあたる場合がありますから気をつけましょう。先客がいない場合でも、温泉にからだを慣らす意味でも湯尻から入りたいものです。

7 湯が熱くても勝手に埋めない

温泉はみんなで共有しているもの。勝手な判断はご法度です。どうしても水を加えてうすめたい場合は、トラブルを避けるためにも周りの方に一声かけて、断ってから埋めましょう。

8 浴槽のお湯で顔を洗わない

温泉につかっていると、思わず顔を洗ってしまいたくなりますが、浴槽の中で顔を洗うのは衛生面が気になるもの。絶対にNGというわけではありませんが、温泉にはいろいろな人がいますので、トラブルを避けるためにもやめておいたほうが無難かもしれません。

9 香りが強いヘアケア製品に注意

温泉は特有の香りを楽しむものでもあります。きつい香りのシャンプーやトリートメントは、本人が好きな香りでも、他人には不快な場合もありますので気をつけたいものです。

10 からだはしっかり拭いて脱衣所へ

からだを拭いてから脱衣場に戻れるよう、小さいタオルを持って温泉に入りましょう。脱衣場の床が極力濡れないようにして、みんなが気持ちよく利用できるようにするためです。

PART2

癒しのアワアワ
炭酸ぬる湯温泉

山形県

カルデラ温泉館《かるでらおんせんかん》

内湯は全国でも稀有な、高温泉と冷鉱泉の2源泉を使っています。

9.4℃ シャキッと冷たい天然のサイダー泉

1200年以上の歴史を持つ山形県最上の秘湯「肘折温泉」。ここは、昔ながらの湯治文化を守り続けている温泉郷で、肘折·石抱·黄金の3つの温泉地で形成されています。その黄金温泉を源泉とする『カルデラ温泉館』は、苦水川のほとりに建つ八角形の屋根が印象的な日帰り温泉施設。周囲は渓谷に囲まれ、川のせせらぎしか聞こえないような、とても静かな場所にあります。

温泉は1時間ごとに男湯と女湯が入れ替わる交替制の露天風呂と、男女別の内湯があり、男湯と女湯が分岐するところにある飲泉場では、こちらのウリである天然のサイダー泉が飲めるようになっています。

温泉に入る前に、まずはこの天然サイダー泉をいただいてみようと、並んでいるひしゃくで汲んで口へ運びます。特に冷やされたわけではなく、天然なのにひんやり……、というより、とても冷たくて、シャキッとする感覚が走ります。そして、鉄の味がする微炭酸のシュワシュワが口いっぱいに広がりました。少し(結構?)飲みにくいけれど、ミネラルがたっぷり。胃腸によく働き、利尿作用もあるといわれているので、からだのためを思ってありがたくいただきました。良薬口に苦しとは、まさにこのことかも。

露天風呂は男女交代制。抜ける風が心地いい、ぬる湯です。

肘折の炭酸泉は、高温泉のそばで低温の炭酸泉が湧いているというのが珍しく、全国でもここにしかないといわれています。露天風呂の浴槽は5～6人ほどが入れる小さいサイズで、源泉が高温なので加水されています。季節により温度が違うとのことですが、この日は39～40℃くらいとぬるめ。風が抜けて、とても気持ちよく湯浴みできました。

内湯は露天と同じ熱めの温泉と、飲泉と同じ炭酸泉との2つがあり、炭酸泉は手・足湯用の小さいサイズです。炭酸泉は9.4℃の冷鉱泉なので、もはや氷水のように感じるくらい冷たくて、10秒も無理。ですが、何度かポカポカ温泉と交互に試すと、だんだんやみつきになってきます。夏でもつらいくらい冷たいけれど、ほかではつかれない稀有な炭酸泉を、からだの外から中まで、ありがたく味わいました。

- 泉質…単純冷鉱泉（二酸化炭素型）ほか
- pH…4.4
- 泉温…9.4℃

山形県最上郡大蔵村南山 2127-79
☎ 0233-76-2622
(4月～10月) 9：30～18：30、
(11月～3月) 10：00～16：30 第1・3火曜定休
¥ 入浴料：大人（中学生以上）500円、
小学生 250円、幼児無料

福島県

せせらぎ荘《せせらぎそう》

内湯には玉梨温泉と大黒湯の２つの源泉の湯が並んでいます。

36.8℃　同時に堪能できる２種類の天然温泉

福島県奥会津にある金山町の大塩地区は、天然炭酸泉が楽しめるエリアとして温泉ツウの間で知られています。

その金山町にある、温泉保養施設『せせらぎ荘』は、そもそも地元の住民の保養と健康増進を図ることを目的に作られたもので、３～４年ほど前にリニューアルオープンしました。

リニューアルに伴い、もともとあった町営の源泉である玉梨温泉のほか、大黒湯源泉の炭酸泉の２本が楽しめるようになりました。この大黒湯の炭酸泉は、温泉愛好家たちの間でも話題になっていて、アワアワのぬる湯温泉を楽しむことができると、人気を集めています。

温泉は男女別の内湯のみで、浴槽は２つに区切られ、源泉温度が高い玉梨温泉、そして37℃ほどのぬる湯の炭酸泉、大黒湯が並んでいます。大黒湯は小さいほうの浴槽で、コーラのように黒く見える湯が、壁側の下方から注がれていました。体温に近い不感温度は、はじめは少しひんやりとする感じですが、次第にポカポカしだし、やがてからだが慣れてやみつきに。湯には茶色の湯の花も見られました。

また、炭酸温泉特有の泡付きがあり、泡

2つ並んで掲示されている温度計。それぞれ別の厳選の湯を同時に楽しめます。

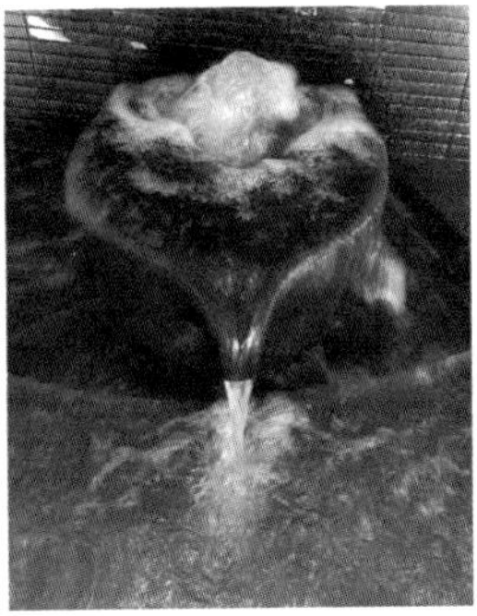

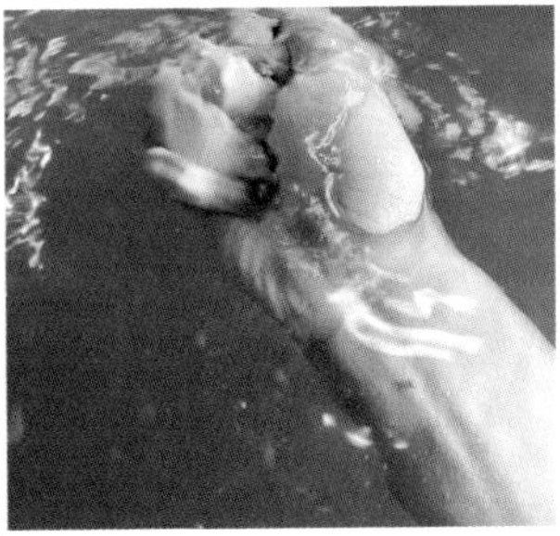
からだに付着する小さめの泡。アワアワをぬぐってはまた付いて……至福の時間。

がからだに付いて、小さな泡が集合し、それらがだんだん大きくなって弾けていく……。これだけでも見ていておもしろいもの。手で拭ってもまたすぐにアワアワがからだを包み込んでくれます。そんな様子を楽しみながら、ぬる湯の炭酸泉をたっぷり堪能しました。

さて、ぬる湯のあとは隣の玉梨温泉へ。こちらは鶯色のにごり湯で、43℃ほどと熱めの温泉ですが、美肌成分のメタケイ酸が大黒湯以上に含まれているのがうれしい美肌の湯なのです。この日も、こちらの温泉をお肌にたっぷりと染み込ませたのでした。

金山町は炭酸水の町。炭酸を含んだ水が湧く井戸もあり、汲んでそのままの炭酸水を味わうことができます。実は季節によって味が違うということです。夏場は鉄分が強く、春先のほうがやわらかな味で飲みやすいのだそうです。

- 泉質…含二酸化炭素ーナトリウムー炭酸水素・塩化物・硫酸塩温泉 ほか
- pH…6.4
- 泉温…36.8℃

福島県大沼郡金山町大字玉梨字新板 2049-1
☎ 0241-54-2830 　 9:00 ～ 21:00
¥ 入浴料：(町内の方) 中学生以上 300 円、小学生 200 円、(町外の方) 中学生以上 500 円、小学生 300 円

岐阜県

泉岳館《せんがくかん》

内湯の源泉浴槽では、シャンパンのように細かなアワアワが心地いい炭酸泉を湯浴みできます。

36℃ からだの中へも！ 炭酸泉を味わい尽くす

下呂と高山の真ん中くらいの山間、小坂川支流の大洞川清流沿いにひっそりと湧く「湯屋温泉」。

ここは、300年以上の歴史を持つ秘湯で、古くは、御嶽山へ霊山参りする人々を癒してきた湯治場といわれています。天然の炭酸泉が湧いていて、現在は3軒の湯宿があり、それぞれ炭酸泉の温泉に入ることができます。その中でも天然炭酸泉の湯づかいはもちろん、お食事や飲泉にも上手く使うなど、工夫を凝らしている『泉岳館』は、炭酸の温泉に対する強いこだわりを感じる湯宿です。

温泉は男女別の岩風呂の内湯のほか、貸切露天風呂があります。女性用の内湯の浴槽は中央で区切られていて、加温浴槽と源泉浴槽の2つに分かれていました。

源泉の温度は12℃ほど。これを床暖房の原理でまわりから36℃ほどに温めているとのことで、炭酸特有の泡を消さないような工夫がみられます。この炭酸をいかす湯づかいは、県内外の炭酸泉をあちらこちらと巡り勉強してきたことによるもので、ものすごい湯へのこだわりがうかがえます。

入浴してみると、まるでシャンパンのような繊細さを感じるシュワシュワの細かな泡がからだを包み込み、見ていても楽しい温泉です。

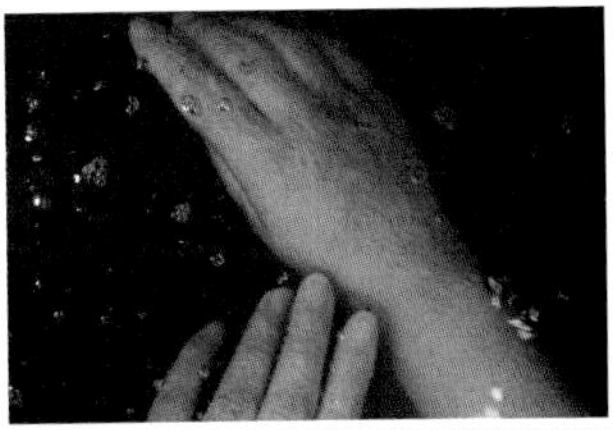

空いていれば何度でもOKな貸切露天風呂。
晴れた日には星空も見られますよ。

炭酸しゃぶしゃぶに炭酸カクテル、また飲泉場では炭酸カルピスも。どれもおいしい。

温度は体温より低く感じられるのではじめはひんやりとしますが、ずっとつかっているとどこか温かいような感覚に。それでもひんやりとするようであれば、隣の加温浴槽へと移動しましょう。ここは40～41℃に設定されていてからだがよく温まります。交互に入浴しながら、炭酸泉を余すところなく堪能しました。

また、貸切露天風呂の浴槽は、しっかりと加温されているためシュワシュワ温泉ではないものの、緑の景色を眺めながらのんびり湯浴みできます。

お食事はというと、「鉱泉料理」と銘打たれた、炭酸泉を使った炭酸しゃぶしゃぶなどがいただけます。天然炭酸泉特有の成分によってお肉はふんわりやわらかくなり、ほのかな塩分が食材をよりおいしくするのだそうです。からだの外からも、中からも、たっぷりと炭酸泉を味わい尽くしました。

- 泉質…含二酸化炭素－ナトリウム－炭酸水素塩・塩化物泉
- pH…5.7　● 泉温…13℃

岐阜県下呂市小坂町湯屋 427-1
☎ 0576-62-3010
日帰り入浴不可
宿泊料：9000円～

大分県

ラムネ温泉館《らむねおんせんかん》

シュワシュワのラムネ温泉が楽しめる露天風呂。みんな長湯していました。

32℃ 世界屈指の強炭酸に包まれるパラダイス

大分県奥豊後、久住山の麓の竹田市直入町にある「長湯温泉」。ここは、世界屈指の炭酸泉湧出地として知られ、湧出量と二酸化炭素の含有量、そして温度から“日本一の炭酸泉”と評されている温泉地です。

中でも『ラムネ温泉館』は、のどかな田園風景が広がる中に突如現れる、モダンでスタイリッシュな北欧風の建物も素敵な、長湯温泉を代表する日帰り温泉施設です。

温泉は男女別の内湯と露天風呂、サウナ、家族風呂があり、券売機で料金を支払って入場するというスタイルで、休日はもちろん、平日も多くの人で賑わっています。

男女別の温泉は、鶯色した41℃ほどの温かい内湯と、31～32℃ほどの無色透明の露天風呂。浴感が異なる炭酸泉を湯浴みできますが、やはり源泉直結、足下湧出の天然炭酸泉を堪能できる露天風呂が人気で、『ラムネ温泉館』の名物的存在でもあります。

というのも、気泡がしっかり付着する炭酸泉をとことん楽しめる露天風呂は、全国的にも貴重な存在だからです。

炭酸ガスの量が1400mgと高濃度の露天風呂は、一度に20人が同時に入れるくらいの大きな浴槽で、空が大きく開かれて、とても開放感があります。温泉は少しひんやりと

漆喰と焼き杉を使った洋風建築は、モダンでオシャレな外観です。

内湯は炭酸水素塩泉。クレンジング作用がある美人の湯は、微妙に温度が違う3つの浴槽が並んでいます。

感じるぬる湯で、細かなアワアワが全身を包みこみ、これがとにかく気持ちよくてテンションが上がります。

大きな露天風呂の中でも足下からシュワシュワの生まれたての炭酸泉が湧くポイントはやはり人気で、ここに絶えず人が集まっていました。

湯船の上には白いタープが張られているので、雨の日でも日差しが強い日でも大丈夫ですが、夏場はさらに個々で使えるオリジナルの日傘も用意されているので、たっぷりと炭酸泉を楽しめます。ただし、夏場は炭酸泉の二酸化炭素にブヨが集まってくるので、虫が苦手な人はご注意くださいね。

ときどき内湯で身体を温めつつ、露天風呂でラムネのようにシュワシュワでプチプチの炭酸泉をのんびりと湯浴み——、ここはまさに“炭酸泉のパラダイス”です。

- 泉質…含二酸化炭素－マグネシウム・ナトリウム・炭酸水素塩泉 ほか
- pH…6.1
- 泉温…31.5℃

大分県竹田市直入町大字長湯 7676-2
☎0957-64-2000　🕒10：00 ～ 22：00
（第 1 水曜定休※ 1 月と 5 月は第 2 水曜定休）
¥ 入浴料：大人 500 円、子ども（3 歳～小学生）200 円、3 歳未満無料
※予約不可、先着順の家族風呂あり

佐賀県

佐賀大和温泉《さがやまとおんせん》 アマンディ《あまんでぃ》

9種類の温泉がある大きな温浴施設。中でもひんやりとした炭酸泉の浴槽の泡付きが一番。

25℃ シュワシュワがたまらないひんやり炭酸泉

温泉天国の九州は、大分や熊本だけではなく、どの県にも効能が豊かで風情もある温泉がたくさんありますが、佐賀も嬉野や古湯をはじめ、バラエティーに富んだ温泉を楽しむことができます。

『佐賀大和温泉 アマンディ』は、佐賀県の高速・佐賀大和ICからすぐ、JR佐賀駅北口からは無料シャトルバスで25分ほどのところにあります。

こちらはホテルですが、スーパー銭湯級の大きな温浴施設があり、日帰り入浴も積極的に受け入れていて、いつも賑わっています。ここの温泉の魅力は、なんといっても天然の炭酸泉につかることができるということ。炭酸泉は、本場であるドイツや東欧では「心臓の湯」とも呼ばれ、古くから病気の治療に使われていますが、日本でも5年ほど前からの炭酸泉ブームによって、今や定番のひとつとなりつつあります。

銭湯やスーパー銭湯でも、人工の高濃度炭酸泉を導入しているところが増えてきましたが、やはり天然炭酸泉のよさは格別。シュワシュワ感が違うのと、ほかにもいろいろな温泉成分が含まれているので、より美肌に近づくことができるのです。

『佐賀大和温泉 アマンディ』には、9種類

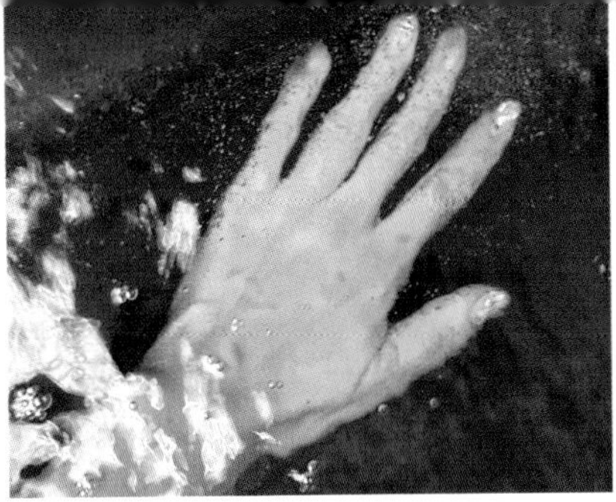

つかってすぐにこのアワアワ！感動の炭酸泉です。

露天風呂も炭酸泉があり、掛け流し。ぬる湯が心地よく癒される湯。

の温泉があって、バラエティーに富んだ湯を楽しめますが、やはり内湯にある源泉温度25℃のひんやりの炭酸泉と、露天風呂にあるぬるめの炭酸泉の２つが人気。

特に内湯の炭酸泉の浴槽は、特有の泡付きがまったく違うものでした。炭酸泉らしさをもっと感じてもらえるようにと、新たな機械を導入したのだそうで、これにより炭酸の泡がしっかりと見られるように。入浴してすぐにアワアワが全身に付着してきて、冷たいけれどじっとつかっているとなんとなくポカポカしてきます。とにかくシュワシュワ感が気持ちいい！

露天風呂につかったり、内湯のほかの加温した温泉につかったりしながら、ひんやりの炭酸泉をたっぷりと楽しみました。湯上がり後はしばらくポカポカが持続。天然炭酸泉が持つ湯力をあらためて実感したのでした。

- 泉質…含二酸化炭素－カルシウム・マグネシウム－炭酸水素塩泉
- pH…7.0
- 泉温…26.2℃

佐賀県佐賀市大和町大字久池井 3667
☎ 0952-62-1126
🕒 10：00 ～ 23：00、朝風呂 6：30 ～ 8：50
¥ 入浴料：大人（中学生以上）780円、子ども（3歳～小学生）380円／朝風呂：大人 650円、子ども 350円／宿泊料：9500円～（素泊まり：4400円～）

宮崎県

湯之元温泉《ゆのもとおんせん》

高濃度炭酸泉。はじめはひんやりですが、ものすごく泡が付いて気持ちいい。

20℃ 大きなアワアワに包まれる新鮮な冷鉱泉

宮崎県西諸県郡高原町にある『湯之元温泉』。明治35年から温泉保養所として営業し始めたという、歴史がある温泉です。

こちらの温泉の魅力は、天然、高濃度の炭酸泉が自然湧出されているということ。さらに、源泉そのものの冷鉱泉がそのまま注がれている浴槽に入ることができるのです。

浴槽は4人くらいが入れるサイズで、温度は20℃ほどと、真夏でもない限り入るのにちょっと勇気が必要。ですが、一度入ってしまうと、冷たさより気持ちよさが勝ります。水面にもシュワシュワしている気泡が見えているのですが、入るとたちまち大きなアワアワで全身が包まれるのです。激しく気泡が付くので、これはもうアワアワという程度ではなく、ちょっとくすぐったいような刺激を感じます。

鉱泉は、酸化しないように浴槽内にそのまま注がれているので、とてもフレッシュ。冷たいけれど、半端ではないレベルの泡に感激しながら、ひんやり冷鉱泉を浴びました。

源泉浴槽は露天風呂にもあり、こちらは中濃度炭酸泉との表示があります。内湯に比べるとおとなしい印象にはなりますが、それでもしっかりと見える泡付きは、泡がなくならないギリギリの温度に加温してあるから。

露天は中濃度炭酸泉。ぬる湯に泡付き、感激の２点セットです。

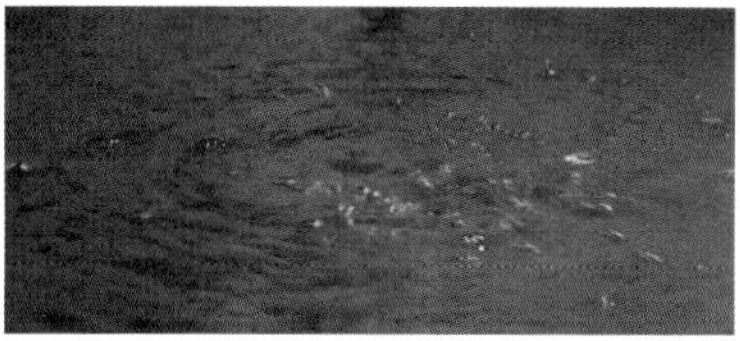

鉱泉で炊いたおにぎり。化学反応でうすいグリーンになるのだとか。

のどかな景観を楽しみながらアワアワに包まれるのは、至福のひとときです。

ほかにも加温された浴槽があり、茶褐色の湯は41℃に設定されています。加温された浴槽とひんやりの冷鉱泉とを交互に入浴。すると、足のむくみが取れ、スッキリ軽くなったことをしっかりと実感できました。

また、こちらの炭酸冷鉱泉は、飲泉することもできます。売店で販売されている炭酸カルピスは、ほどよい酸味が感じられて、爽やかな甘さでおいしい。このほか、炭酸泉で炊いたお米で握ったおにぎりもありました。このおにぎり、普通のお米なのにとてもモチモチの食感なんです。お米の持つ甘さが上手く引き立ち、ほどよい塩分で、味わい深くてしみじみとおいしいおにぎりでした。つかって、飲んで、食べて、とことん炭酸泉が楽しめる湯宿です。

● 泉質…含二酸化炭素－マグネシウム・ナトリウム・カルシウム－炭酸水素塩冷鉱泉
● pH…6.2　● 泉温…20.4℃

宮崎県西諸県郡高原町大字蒲牟田 7535
☎ 0984-42-3701
🕒 10：00 ～ 22：00（第１水曜定休）
¥ 入浴料：大人 500 円、子ども 250 円／宿泊料：7040 円～（素泊まり：3520 円～）

長野県

二本木の湯《にほんぎのゆ》

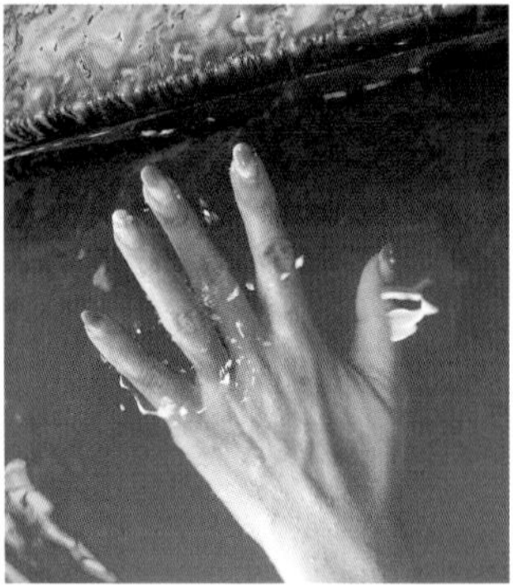

39 ～ 40℃ほどに加温された内湯。この温度でもしっかりアワアワが付きます。

39℃ ほどよい加温とフワっとした浴感が心地いい

長野県木曽町福島から、西の開田高原へと抜ける黒川郷の地蔵峠のふもとにある『二本木の湯』。ここは町営の日帰り温泉施設です。こちらの温泉は地下８０メートルから湧出し、源泉には炭酸ガスが 1949mg と大変多く含まれている炭酸泉であることが特徴。注がれた浴槽の中でも１リットルあたり 1100mg と国内屈指の含有量です。

温泉は男女別の内湯のみで、６～７人くらいが入れる浴槽は、源泉が 18℃とそのまま入るには厳しい温度なので、炭酸がなくならないギリギリの温度、39 ～ 40℃ほどに加温されています。湯口付近ではアワアワがしっかりと肌に付着し、フワっとした浴感が心地いい温泉です。これだけの炭酸ガス含有量はなかなかないので、加温しない浴槽があればもっとうれしいなぁ。きっとものすごい泡付きになることでしょう。

- 泉質…含鉄・二酸化炭素－カルシウム－炭酸水素塩冷鉱泉
- pH…5.94
- 泉温…18℃

長野県木曽郡木曽町新開 6013-1
☎ 0264-27-6150
10：00 ～ 19：00（木曜定休）
入浴料：大人 620 円／子ども 410 円
※予約制の貸切休憩和室（1 時間 500 円）あり

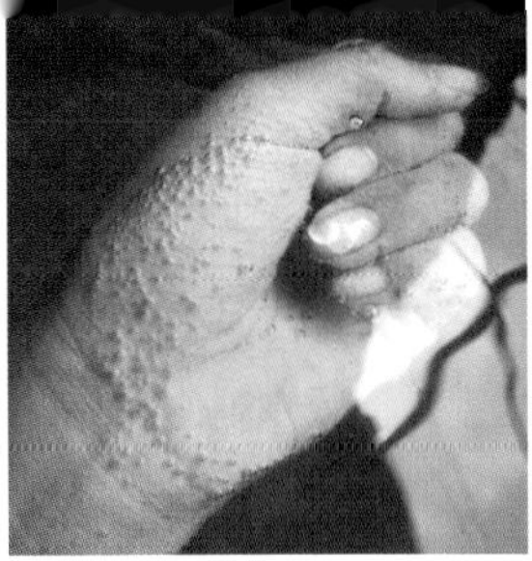

大分県

山里の湯《やまさとのゆ》

内湯は２つに区切られていて、小さいほうの浴槽に源泉が注がれています。

不感温度の源泉が楽しめる希少な炭酸泉

38℃

日本一の大吊橋、九重“夢吊橋”の入口近くにある「筌の口温泉」。標高1000メートルほどの飯田高原を貫く県道20号沿いにある小さな温泉地で、いくつか湯宿や共同湯がありますが、ここ『山里の湯』では日本でも希少な“炭酸ぬる湯”を堪能することができます。

何が希少かというと、38℃ほどの源泉がそのまま浴槽に注がれているという点です。炭酸泉の多くは32℃ほどか、さらに低い湯温、または冷鉱泉が多いので、この温度の掛け流しはなかなかないのです。温度が高めのため、泡付きも控えめかと思えば、まったくそんなことはありません。湯口付近は特にすごい泡付きで、瞬く間に泡まみれに。激しいアワアワにしっかりとからだが覆われる、うれしいサプライズです。不感温度もとても心地よく、とことん癒されました。

- 泉質…含二酸化炭素―ナトリウム・マグネシウム・カルシウム―炭酸水素塩・硫酸塩・塩化物泉
- pH…6.3
- 泉温…38.3℃

大分県玖珠郡九重町田野1268-2
☎0973-79-2516
9:00～18:00（最終受付17:00 火曜定休）
¥ 入浴料：大人500円、子ども300円、貸切湯2,000円（50分）

長崎県

HOTEL シーサイド島原《ほてる しーさいどしまばら》

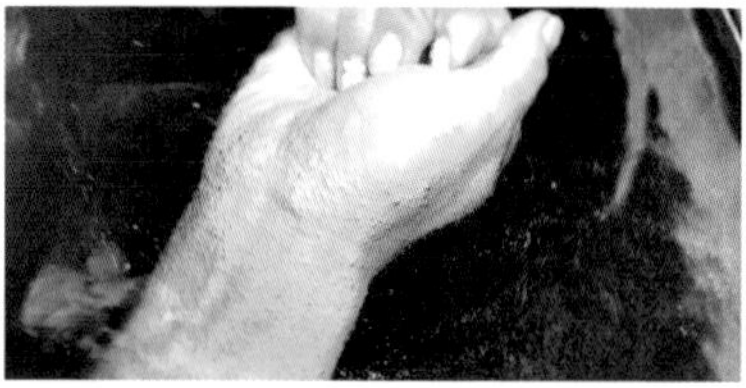

湯治処にある高濃度炭酸泉。人気があるので５分間を目安に交代します。

26℃ フレッシュな炭酸泉をリゾート気分で

長崎県島原市。島原港から車で５分ほどのところにある『HOTEL シーサイド島原』。

こちらは温泉ホテルで、内湯と露天風呂にいくつかの温泉がありますが、名物が高濃度炭酸泉です。26℃とひんやりの炭酸泉ですが、全身をシュワシュワの気泡がまとうのがとても気持ちいい温泉です。

お一人様サイズの浴槽はすぐに掛け流され、いつでもフレッシュな炭酸泉につかることができるのがうれしい！ ただし、とても人気のある温泉なので、炭酸浴槽に入っている時間には配慮をして、長湯しないよう何度かつかりました。

浴槽からは目の前に有明海、晴れた日は対岸の熊本の山まで見通すことができ、加温された浴槽と交互に入って、温泉と絶景を堪能。海辺に面した立地から、リゾート気分も味わうことができるホテルです。

- 泉質…含二酸化炭素－マグネシウム・カルシウム・ナトリウム－炭酸水素塩泉
- pH…6.3　● 泉温…26℃

長崎県島原市新湊１丁目38番地１
☎ 0957-64-2000　🕒 湯治処 12:00～24:00／展望大浴場 6:00～12:00、15:00～24:00
¥ 入浴料：大人 500円、子ども 300円／宿泊料：8500円～（素泊まり：6000円～）

おいしいごはんと
ぬる湯を満喫！

美食とぬる湯

地元食材を贅沢に使った創作料理に、見た目にもオシャレで独創的なアレンジ料理、こだわりの蕎麦を使った懐石や、温泉で蒸された専門店の鰻料理まで。個性溢れる美食が堪能できるぬる湯温泉を厳選しました。おいしいごはんにぬる湯、贅沢に両方満喫しませんか？

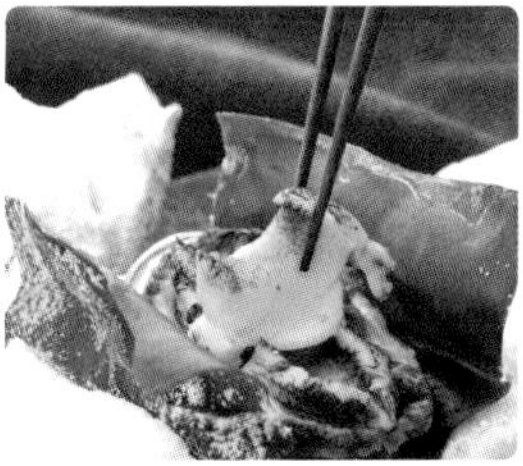

北海道

湯元《ゆもと》 湧駒荘《ゆこまんそう》

5本の自家源泉と、地元食材を使った創作料理を贅沢に

源泉5本。ユコマンの湯だけで5つの源泉すべて堪能できます。巨大な岩の後ろから源泉が湧出しています。

山の上の秘境にありながら、旭川空港から車で約40分とアクセスがいい秘湯の湯宿『湯元 湧駒荘』。

ここは、5本の自家源泉の湯を楽しむことができ、加賀の名旅館と赤坂の割烹料理店で修行された料理長がふるまう、地元の食材をふんだんに使用した創作料理に舌鼓を打つことができるという、温泉至上主義派も美食家も両方が満足できる湯宿です。

温泉は、別館にある「神々の湯」と、本館「ユコマンの湯」「シコロの湯」も合わせると17の浴槽があり、加温や加水はしていません。源泉をそのまま湯浴みをすることができる湯づかいに感激です。浴槽によって湯温はさまざまで、基本的には37℃前後のぬる湯中心。中でも「シコロの湯」は、炭酸ガス

美食POINT!

北海道ならではのアレンジ料理の数々

夏季限定メロンのヴィシソワーズは、夕張メロンの甘さとじゃがいもスープのしょっぱさのバランスが絶妙です。

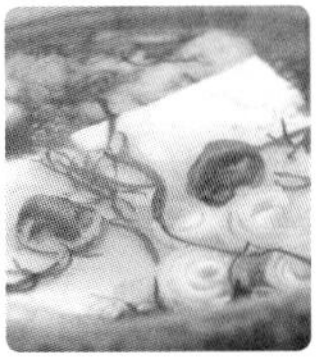

地元北海道の食材を使った、まさに地産地消の創作料理。エゾシカもアワビも極上のおいしさ。

を含んだ気泡が見られ、夏は特に気持ちよく、とてもからだがよろこびますよ。

　創作料理の中でも、こちらの名物は旬の夕張メロンの半分をくり抜いたヴィシソワーズ。甘さとしょっぱさのバランスが絶妙です。このほか、エゾシカやアワビなど、食材のよさを十分に引き出したアレンジ料理の数々、どれも絶品です。

- 泉質…マグネシウム・カルシウム・ナトリウム－硫酸塩・塩化物・炭酸水素塩泉
- pH…6.4
- 泉温…44.6℃　ほか

北海道上川郡東川町勇駒別旭岳温泉
☎0166-97-2101　🕒12：00～19：00
¥入浴料：大人1000円、子ども（小学生）500円、幼児（小学生未満）無料／
宿泊料：6818円～（素泊まり：5000円～）

長野県

沓掛温泉《くつかけおんせん》 満山荘《まんざんそう》

ツルツル浴感の湯と、見た目もオシャレで独創的な料理

開湯 1200 年の「万葉の湯」と、野天風呂「沓掛の湯」は男女が 22 時に入れ替わります。

平安時代に万葉集に詠われた、開湯1200 年の歴史がある「沓掛温泉」。国民保養温泉地にも指定されています。同じ長野県の奥山田温泉から引っ越して引き継いだ湯宿『沓掛温 泉満山荘』は、自然豊かな里山を一望できるぬる湯温泉と、地元長野の食材をふんだんに使った独創性溢れる料理の数々が魅力です。

ツルツルとした浴感が気持ちいい露天風呂は、37℃前後のぬる湯で源泉掛け流し。塩ビ管が浴槽の中に入っており、空気に触れないよう湯が投入されている湯づかいに感動です。内湯は 40℃ほどに加温されているので、仕上げの上がり湯として入ると、さらにポカポカ温まります。

食材にこだわったお食事は、奥山田温泉

美食POINT!

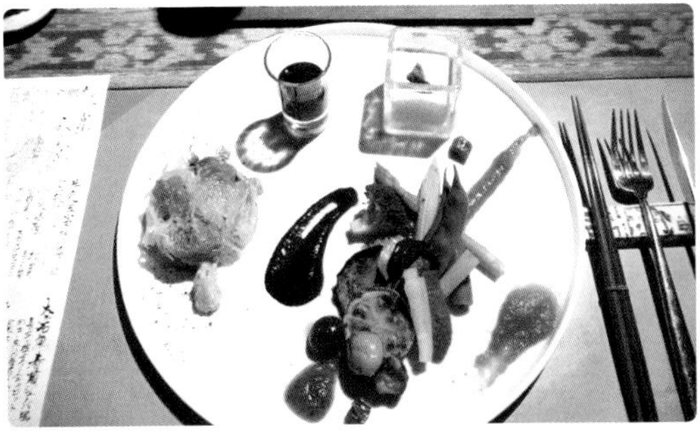

食事と一緒に…
地酒も堪能しては？

地酒を中心に人気の日本酒が14種類ほど並びます。どれを選ぼうか迷うほど。

お皿も美しいものばかり。前菜からメインまで、長野の食材をオシャレにアレンジ、そしてしっかりおいしい。

の頃から評判が高かった牛乳豆腐や、チーズの茶碗蒸しのほか、天ぷらは1品ずつ揚げたてを供するこだわりっぷり。出汁浸しの牛ヒレや、ジェノバ風の岩魚など、ひと手間アレンジしたお料理はどれも女子好みなものばかりです。しみじみとおいしいだけではなく、見た目もとてもオシャレで、秘湯の宿のイメージを覆してくれます。

● 泉質…（沓掛温泉1号泉）アルカリ性単純温泉、（沓掛温泉3号泉）アルカリ性単純硫黄温泉
● pH…9.3、9.2　● 泉温…34.7℃、38.5℃

長野県小県郡青木村大字沓掛434
☎ 0268-49-2002　🕒 日帰り入浴不可
¥ 宿泊料：1万6650円～（大人4名宿泊時）

山梨県

正徳寺温泉《しょうとくじおんせん》 初花《はつはな》

美容液のような湯と、ふわふわ食感の“温泉鰻”

季節の景色が楽しめる露天風呂も内湯も基本的にはぬる湯。内湯のほうが泉質のよさをより実感できます。

山梨県山梨市にある日帰り温泉施設『正徳寺温泉 初花』。ここは、もともと鰻を養殖する養鰻業と鰻専門店を営んでいたので、施設内にある食事処で本格的な鰻料理をいただくことができます。そしてその鰻は蒸されるときに温泉水が使用されているという“温泉鰻”なんです。

そもそも、なぜ鰻屋さんで温泉に入れるのかというと、オーナーさんがこの地で鰻がよく育つことから、「もしかしたら掘ったら温泉が出るかも」とボーリングしてみたところ、本当に温泉が出たのだとか。

その浴感は、鰻のようにニュルニュルで、美容液のような温泉が楽しめます。内湯のほうが、浴感がいい美人の湯です。加温の浴槽と源泉浴槽があり、源泉浴槽は36℃ほど美食POINT!

落ち着いた和の空間で専門店の絶品鰻を

丁寧に蒸しあげた鰻は関東風。ふんわり、絶妙なおいしさです。

鰻専門店ならではの鰻料理はとても美味。そのほかの定食メニューも人気があります。

のぬる湯で、細かなアワアワが付くことにも感激。からだへの負担もなく、コリがほぐれていく感覚があり、長湯できます。露天風呂は、岩風呂のほかにも寝湯や蒸風呂などがあり、バラエティー豊富です。

湯上がり後は、名物の鰻を堪能。鰻そのものも、タレもおいしく、かなりのフワフワ食感に感動しました。

- 泉質…アルカリ性単純温泉
- pH…9.4
- 泉温…34℃

山梨県山梨市正徳寺 1093-1
☎ 0553-22-6377
🕒 10：00 ～ 21：30（木曜定休）
¥ 入浴料（3時間）：大人 700 円、子ども（小学生以下）400 円

福島県

蕎宿《そばやど》 湯神《ゆじん》

肌馴染みのいいスベスベの湯、お忍び気分で蕎麦三昧

夏場は 38 ～ 40℃に。冬はもう少し湯温が上がる貸切風呂は 2 人が入れるサイズ。

福島県湯野上温泉にある『蕎宿 湯神』。その名の通り、蕎麦にとことんこだわり、蕎麦づくしのお料理が供される湯宿です。

部屋数は 4 室で、1 日 4 組限定。とても人気がある湯宿で、土曜や祝日はもちろん平日でも予約が困難です。温泉は、各部屋に専用の貸切風呂のみ。部屋に入れば、ほかの宿泊者とすれ違うこともなくお篭りすることができます。

温泉は季節によりますが、夏場は 38℃ほどのぬる湯。この湯は不思議で、はじめは 41℃くらいあるかのような感覚がありました。ですが、しばらくつかっているとぬる湯らしい、からだが軽くなるような感じがしてきます。肌馴染みがよく、スベスベの浴感がすごく気持ちいいんです。

美食 POINT!

すべての料理に蕎麦！
絶品会席料理

次から次へと、蕎麦！蕎麦！蕎麦！ 蕎麦好きにもたまらない湯宿です。

お食事は、蕎麦を中心とした懐石料理やざる蕎麦などのほかにも、事前予約で会津名物の馬刺しも食べることができます。

窓の外から時折聞こえる踏切の音にワクワクして、走る電車を眺めながらの湯浴みです。

蕎麦三昧の夕食は、小鉢にサラダ、天ぷらからお粥に稲荷……。すべての料理に蕎麦が使われています。打ち立ての蕎麦は香りがよく、味わい深くておいしい。温泉好きだけでなく、蕎麦好きにもたまらない、リピータ　が多いのも納得の湯宿です。

- 泉質…単純温泉
- pH…8.2
- 泉温…57.2℃

福島県南会津郡
下郷町大字湯野上字居平乙 789-1
☎ 0241-68-2117　日帰り入浴不可
¥ 宿泊料：1 万 150 円～

温泉効果を からだのなかへ

温泉はつかるだけでなく、からだの中に入れるのも効果的。大分県由布市九重山のふもと、高濃度炭酸泉の白水鉱泉が湧く『黒巌荘』では、その湧水を使ったそうめんが、4月～11月の季節限定で味わえます。一度食べたら忘れられない爽快感とここでしか味わえない味を、ぜひお試しあれ。

【黒嶽荘】大分県由布市庄内町阿蘇野 2259
☎ 097-585-1161　🕒 8:00 ～ 17:00
¥ 入浴料：大人 300 円、子ども 200 円／宿泊料：7350 円

爽快感抜群！ 炭酸そうめん

天然炭酸水でしめたそうめんは、炭酸のアワアワに包まれていて、その口当たりはまさに新感覚。オリジナルの柚子胡椒との相性も抜群です。

源泉温度は 8.4℃！

別料金で冷鉱泉を浴びることができます。加温と源泉と2種類がありますが、片方は源泉温度の 8.4℃。ひんやりを超えて痛いほど冷たいので、ぜひ温冷交互浴を。

飲む炭酸泉

炭酸泉がウリの温泉地では、自然に湧く貴重な天然炭酸泉をいかした炭酸飲料水が売られているところもあります。炭酸泉を訪れた際は、ぜひ飲泉も楽しんでみてください。

◀ P.60『ラムネ温泉館』で販売されている、オリジナルの『ラムネ温泉サイダー』。温泉ミネラル豊富な超硬水「マグナ」を使用し、甘さ控えめで喉越しスッキリです。

◀福島県の奥会津地方にある金山町で採取された、天然の炭酸水。とてもまろやかな口当たりで飲みやすく、世界中でも珍しい軟水の天然炭酸水です。

PART3

ぬる湯を超えた
ひんやり温泉

長野県

渋・辰野館《しぶ・たつのかん》

源泉は21℃のひんやり温泉。その成分のせいか、体感温度はさらに低く感じます。

21℃ 白樺の静かな森の中でとことんくつろぐ

八ヶ岳連峰西麓の標高1700メートルの場所にある奥蓼科温泉の『渋・辰野館』。奥蓼科温泉の開湯は延暦2年の奈良時代、諏訪大社のお告げによって発見されたといわれています。こちらの湯宿は創業100年を超える老舗で、白樺の森の中にある威風堂々たる木造の建物が目を惹きます。

温泉は男女それぞれ2つの内湯と、北八ヶ岳を見晴らす露天風呂があり、どことなくノスタルジックな雰囲気。一番メインの温泉は「信玄の薬湯」という鉱泉で、21℃ほどとかなりひんやりなのですが、体感的にはもっと低く感じました。1日3回まで、1回の入浴は15分まで、と案内板に書かれているので、それにしたがってまずは15分以内に。

実際につかってみると硫黄の成分からか、はじめはピリピリと刺すような刺激が感じられます。真夏でも結構ひんやりと感じるくらい痺れるほどの冷鉱泉。せっかく成分が濃厚な冷泉なので、できる限り浴びたいと気合いで入り続けます。でも、次第にからだが慣れてくると、気持ちよくなり、爽快感もたまらないのです。

湯船の浴槽の底にはパウダー状の湯の花も見られ、フワフワしていました。奥にある加温の浴槽と交互に入り、ダイエット効果に

源泉掛け流しの内湯は湯量も豊富。青白いにごり湯は強烈な硫化水素臭を放っています。

期待をしながら、「温→冷→温→冷→温」とひんやりとポカポカの加温された浴槽に交互に入って温泉を楽しみます。湯から上がるとからだがポカポカしてくる湯力に、やはり温泉はすごいとしみじみ思ったのでした。

「森の湯」というもうひとつの温泉は、少し離れたところにあるので、いったん着替えて移動します。こちらの浴槽はコンクリートの打ちっぱなしで、少し新しいように見えます。「信玄の薬湯」との違いは、露天風呂があるという点です。ここでも内湯の加温浴槽と露天風呂を交互に入浴しました。源泉は同じなのに、「森の湯」のほうがピリピリとした痺れのようなものは感じず、マイルドな浴感に思えたのでした。

森林浴をしながらの、ひんやり温泉の湯浴みは、静かでとことんくつろげてリフレッシュできますよ。

- 泉質…単純酸性冷鉱泉
- pH…2.71
- 泉温…21.2℃

長野県茅野市豊平 4734
☎ 0266-67-2128
11：00 ～ 18：00（※不定休の為要予約）
¥ 入浴料：大人 1650 円、小学生 1100 円、幼児 350 円／宿泊料：1 万 3500 円～

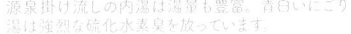

山梨県

岩下温泉旅館《いわしたおんせんりょかん》

今は男女別になってだいぶ入りやすくなった「霊泉」。約10畳ほどの広さがあります。

28℃ 神秘的な雰囲気漂う空間で浴びる“霊泉”

山梨市のぶどう畑の中に佇んでいる一軒宿『岩下温泉旅館』。ここは、明治8年創業の老舗温泉旅館で、武田家とも深く関わりがあり、「信玄の隠し湯」のひとつといわれています。建物は、宿泊者専用の新館と日帰り入浴が可能な旧館があり、日帰りも利用できる温泉は男女別に2カ所の内湯のみ。どちらもレトロでノスタルジックな雰囲気がとても素敵なんです。

脱衣所の壁には、イラストの“温泉ねこ”のキャラクターが2つの温泉の入り方を案内していますので、ちゃんと目を通してから温泉へ入りましょう。脱衣所からつながっている浴室には浴槽が2つあり、奥が加温された浴槽、手前が源泉浴槽です。

湯宿の名物とされている温泉は、28℃のひんやりとした“霊泉”ですが、まずは加温されている浴槽のほうに入って湯でからだを慣らします。この内湯に入るだけでも、温かい浴槽と冷たい浴槽を交互に入浴することで脂肪細胞の活性化を促進し、痩せやすいからだに近づくことができるのだとか。ダイエット効果を期待しながら交互浴をし、からだが慣れてきたところで、ひんやり温泉のみの「霊泉場」へと向かいます。

以前は混浴でバスタオル巻きもNGでした

奥が加温、手前は源泉の浴槽となっています。

レトロな雰囲気がステキ！ 旧館は登録有形文化財に指定されています。

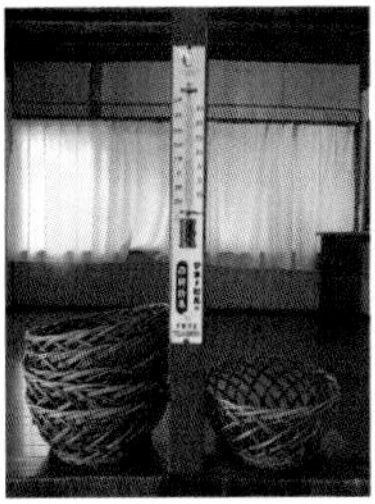

ので、なかなかハードルが高かったのですが、今は真ん中に仕切りが出来て男女別となっていますので気軽につかれるようになりました。仕切りがあっても、浴槽は10畳ほどのサイズなので十分な広さです。

「脇の下に手を入れて霊泉に」という温泉ねこの案内の通りに、ゆっくりと静かに入浴します。はじめはやはりひやっとしますが、寒くてつらいということはありません。そのままじっと霊泉につかっていると、からだが馴染んで、次第に心地よくなってきます。これがすごく不思議な感覚なのです。神秘的な雰囲気の中、静かでゆったりとした癒やしの時間を過ごすことができました。温泉から出たら一気に血の巡りがよくなり、ポカポカしてきます。猛暑の時期は、この霊泉が本当に気持ちよくて、このままずっと入っていたいと思うほどです。

- 泉質…アルカリ性単純温泉
- pH…8.3、8.9
- 泉温…28℃

山梨県山梨市上岩下 1053
☎ 0553-22-2050
（5月～11月）平日 15：00 ～ 20：00、土日祝 9：30 ～ 20：00、（6月～10月）全日 9：30 ～ 20：00、月曜定休
入浴料：大人 500 円、子ども 400 円／宿泊料：1 万 1500 円～（素泊まり：5400 円～）

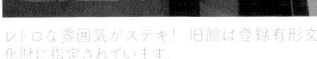

山梨県

裂石温泉《さけいしおんせん》 雲峰荘《うんぽうそう》

混浴の露天風呂。秋には紅葉も楽しめます。

26℃

サラサラでフレッシュなひんやり温泉

都心からも行きやすく、トロトロ温泉も多いのが魅力的な山梨の温泉。その中でも、夏になるとカラダがついつい求めてしまうのが、ここ『裂石温泉 雲峰荘』です。

中央自動車道の勝沼 IC から車で 40 分ほどの場所にあり、近づくにつれてあたりの風景は一変、秘湯ムードが漂います。山梨県には魅力的な温泉が多くあるので、日が長い夏なら夕方までかけて、あちらこちらに立ち寄りたいところですが、こちらには早めにチェックインするのがオススメ。

なぜかというと、地元山梨のワインの試飲ができるからです。種類もとても豊富なので、試飲をして気に入ったワインを夕食時に選べば完璧！ 初めて出合ったワインが好みに合わなかった ...... なんて心配もないのがうれしいのです。

さて、肝心のぬる湯温泉はというと、源泉はなんと 26℃でまさに「ひんやり」。ですが、もちろんただの水ではないので、つかっているうちにじんわり温かくなる、不思議な感覚が味わえます。そして、トロっとするところもありながら、サラサラとした無色透明の湯はとてもフレッシュ。いつまでも入っていられる温泉です。

大浴場は男女別の内湯があり、それとは

木のぬくもりを感じる建物のロビーには囲炉裏が。（下）種類豊富な地元のワイン。

花崗岩の岩盤をそのまま利用した内湯は26℃のひんやり温泉です。

別に混浴露天風呂もあるので、家族やカップルでも一緒に楽しめます。混浴の露天風呂は41℃くらいに加温されていて、3カ所から湯が投入され、湯量もとっても豊富。ドバドバと勢いよく流れ込んでいます。

宿泊するならば、もうひとつのお楽しみはなんといっても夕食。収穫したばかりの野菜の煮物やお刺身にお肉など、素朴ながらも丁寧に作られた料理は、地元のワインとの素敵なマリアージュが楽しめます。

ご家族で経営されていて、みなさんとても気さくで、絶妙な距離感が心地よく、まるで自分の別荘のように泊まりに来る常連さんもいらっしゃいます。その方は、「泊まれなくなると困るからあまり宣伝しないでね」なんて、冗談まじりで仰っていました。たしかに、特別なときだけでなく、ふらっと何度でも来たくなる湯宿なんです。

- 泉質…アルカリ性単純温泉
- pH…9.9
- 泉温…26℃

山梨県甲州市塩山上萩原 2715-23
☎0553-32-3818 平日 10:00〜13:00
¥ 入浴料：1時間 500円 ／ 宿泊料：1万円〜
※日帰り入浴は内湯か露天のどちらか1つ

大分県

赤川温泉《あかがわおんせん》 赤川荘《あかがわそう》

奥に見えるのは「雄飛の滝」。お坊さんや修験者が行を行っていたのだとか。

26℃ 美肌成分が豊富なミルキーブルーの湯

日本百名道に選ばれている“やまなみハイウェイ”。大分県由布市と熊本県の阿蘇を結ぶ県道11号線の愛称で、くじゅうの草原を抜けて雄大な阿蘇への道は、自然が生み出した絶景が広がっています。大分道湯布ICから、やまなみハイウェイを阿蘇方面へ50分ほど行くと、久住連山の雄峰・久住山の南麓にある秘湯『赤川温泉 赤川荘』に到着します 。1185年（文治2年）、源頼朝の時代に巻狩りをしていた兵士によって発見された温泉で、“赤川”という名前は温泉によって川底が酸化して赤くなったことから名付けられたといわれています。

温泉は、26℃ほどのひんやりとした冷鉱泉が自噴していて、硫酸・カルシウム・炭酸水素・ナトリウム・マグネシウム、各イオンを豊富に含有、自然が作り出したミルキーブルーが美しくて、見ているだけでも惚れ惚れしてしまいます。スベスベの美肌に近づけてくれ、ハリや弾力アップもできるような泉質が少しずつ含まれていて、美白も叶うかも？という、女子には特にうれしい要素がたっぷりのひんやり温泉です。

鉱泉の中では硫黄の含有量が多く、日本一の含有量といわれているだけあって、浴室へ向かう脱衣所から硫黄のにおいに出迎え

飲泉することができるので口にしてみると…「良薬は口に苦し」を実感です。

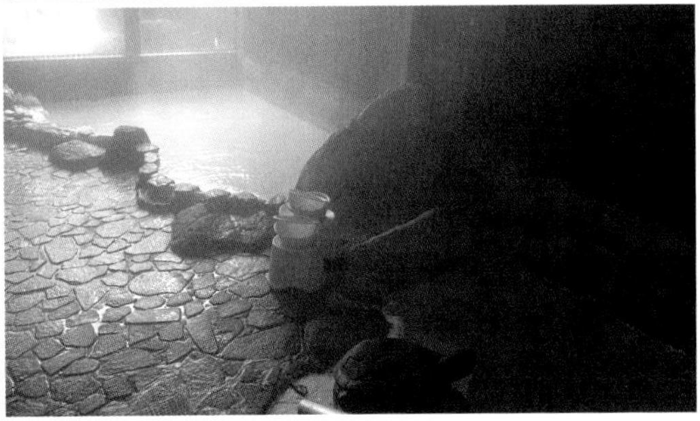

まずは内湯で温冷交互浴をしてから露天風呂へ。

られました。温泉は男女別の内湯と露天風呂があり、内湯は40℃ほどに加温された浴槽と、源泉浴槽の2つ。露天風呂（野天風呂）は、手前が加温、奥が26℃の源泉がそのまま注がれているとのことですが、冬だと外気がとても冷たいので、いずれもひんやり温泉でした。人気がある温泉施設なので、休日はいつも人で賑わっているという印象です。そこで、冬ならのんびりできるかもと思って行ってみたところ、たしかに空いてはいましたが、凍えるほどの寒さではないものの、正直修行のよう……。それでも、雄飛の滝を間近に見ながら、ゆっくり加温の湯口付近をキープして湯浴みしました。やはり、ここは汗ばむような季節に、ひんやり温泉につかるのがオススメです。ひんやりだけど、湯から出るとポカポカするのは温泉だからなんだなぁと、しみじみ思ったのでした。

- 泉質…含二酸化炭素・硫黄－カルシウム－硫酸塩冷鉱泉
- pH…5.3　● 泉温…26℃

大分県竹田市久住町久住 4008-1
☎ 0974-76-0081
🕒 10：00 ～ 18：00（営業日：金、土、日、月曜）
¥ 入浴料：大人 700 円、小学生 500 円、幼児 300 円、乳児（1 歳未満）無料
※特定日営業や天候休業もあり。要事前確認

大分県

寒の地獄温泉《かんのじごくおんせん》

透明の冷泉は足下からブクブク沸いています。はじめは痛いけど我慢して入浴……。

14℃ ひんやりも超えた“極寒”がやみつきに

大分県久住町にある『寒の地獄温泉』は、その名の通り、ひんやりを超えた極寒温泉で知られる秘湯の一軒宿です。源泉温度は14℃。7月頃から9月末までの夏季限定で、“寒の地獄”とも呼ばれる冷泉入浴が可能となります。混浴ですが、水着着用をして入浴するので、女性も入りやすいかと思います。温泉は毎分2トンを超える湧出量で湯量が豊富。単純硫黄冷鉱泉で、しかも足下から湧出されているという、全国でも希少価値の高い温泉です。

ただ、14℃という“極寒の温泉”ですから、ほかの温泉にはない、独特な入浴スタイルとなっています。

青く見えるけれども透明の冷泉に、恐る恐るからだを沈めてみると、硫黄の成分が濃いということもあって、最初の1分くらいは皮膚を刺すような刺激があり、痛いと感じるほどです。それもそのはず、体感温度は0℃くらい！ 寒いのではなく、痛さを感じる冷泉は、ちっとも気持ちよくないし、もう我慢するのも限界と思った途端、時間にしたら3分くらいでからだが慣れてくるのか、痛さが不思議と和らぎました。

そのうちに震えが出始めたので、冷泉から出て濡れたままで暖房室へと移動し、ストー

檜の内湯。加温浴槽と源泉浴槽とで交互浴を。ここの源泉浴槽は痛くなかったです。

ブで暖を取ります。移動時はタオルでからだを拭かないことが重要とのこと。なぜなら、拭くとからだに付着した薬効成分を落とすことになり、効能が減少してしまうからなのですが、冷泉入浴と暖を取ることを3回、できれば4～5回繰り返すと、より効果的だそうです。このような入浴法は、“あぶりこみ”といわれ、医学的にも認められている療養法とのこと。かなり独特な入浴スタイルで、まるで修行のようですが、ここでしか体験できないので、ぜひ挑戦してみてほしいです。爽快感と不思議な開放感があり、ついやみつきになります。

冷泉のほかにも通年で入れる内湯があり、加温浴槽と源泉浴槽があるので、交互に入浴をするのが効果的です。血行もよくなり、なかには足のむくみや腫れがすぐに引く人もいるそうですよ。

● 泉質…単純硫化水素泉
● pH…4.6　● 泉温…13 ～ 14℃

大分県玖珠郡九重町田野 257 番地
☎ 0973-79-2124
🕒 (温泉) 10：00 ～ 14：00 (金～火曜)、
(冷泉) 9:00 ～ 17:00 (7 ～ 9月までの木～火曜)
¥ 入浴料：(温泉) 大人 700 円、子ども (小学生以下) 400 円、(冷泉) 1 時間 700 円
／宿泊料：1 万 3500 円～

熊本県

地獄温泉《じごくおんせん》 青風荘《せいふうそう》

シンボル「すずめの湯」。混浴ですが、現在は男女共に湯浴み着着用が義務付けられました。

18c

足下湧出の温泉で湯浴みと泥パック

阿蘇五岳のひとつ、烏帽子竹の山麓にある『地獄温泉 青風荘』。ここは200年以上の歴史があり、古くから湯治場として人々を癒してきた南阿蘇を代表する温泉です。

地獄温泉といえば、「すずめの湯」という足下湧出、灰白濁の硫黄泉がシンボル的な存在です。ここは浴槽の底に鉱泥が沈んでいるので、泥パックをしながら湯浴みができるという珍しい温泉です。天然成分の鉱泥は温泉成分をたっぷり含んでいて、手の甲をパックしてみたらあきらかに肌のトーンが明るくなり、その効果を実感。「すずめの湯」の湯力に感動して以来、この温泉のファンなのですが、実はしばらく入れない時期がありました。

2016年の熊本震災で甚大な被害を受け、さらにその後の豪雨災害による土砂崩れで道路も寸断。宿のほとんどが土砂に埋もれ、8つあった温泉のうち、唯一無事に残ったのが、この「すずめの湯」でした。ですが、しばらく休業していたからです。

2019年4月、まずは日帰りのみの施設として復活。リニューアル後は、「すずめの湯」の前に、これまでになかった冷泉の浴槽が完成していました。これは北欧のサウナで、湖のそばでサウナからそのまま水に飛びこむ

再開後、「すずめの湯」の前にひんやり温泉が新登場。ひんやり具合がクセになる冷泉です。

という、北欧のようなスタイルをイメージしてつくったそうです。池のように広くて、15人くらいは入れるサイズの浴槽です。無色透明で無味無臭、18℃ほどのひんやり温泉は美肌成分であるメタケイ酸規定の冷鉱泉なのですが、はじめは冷たいなぁと思いつつも不思議とだんだんポカポカしてきて、クセになるんです。41℃ほどの「すずめの湯」と交互で入ると、からだが軽くなる感覚があり、何より気持ちいい！ やみつきになります。夏のひんやり温泉は最高だろうなぁ……、そう思いながら、新しく完成した冷鉱泉を余すところなく堪能しました。

訪れたときは日帰りのみでしたが、宿泊棟も2020年に完成予定とのことで、これまでにないスタイルの温泉宿ができるのだとか。もともとお食事も定評がある湯宿だったので、宿泊するのがとても楽しみです。

- 泉質…メタけい酸による温泉 ほか
- pH…6.9
- 泉温…12.2℃

熊本県阿蘇郡南阿蘇村河陽 2327
☎0967-67-0005 🕒10:00～17:00（火曜定休）
¥入浴料：（すずめの湯）大人1200円、子ども（小学生）600円、幼児無料／（元の湯・たまごの湯）大人800円、子ども400円、幼児無料／（すずめの湯＋元湯・たまごの湯）大人1600円、子ども800円、幼児無料

群馬県

滝沢館《たきざわかん》

渓流沿いの炭酸泉は、夏はアブにご注意を！ お宿でも対策グッズが用意されています。

24℃ お一人様サイズの小さなつぼ風呂が秀逸

赤城山南面の中腹、粕川渓谷の中にあり、人里離れた渓流沿いにひっそりと佇む『滝沢館』。ここは川のほとりに野趣溢れる露天風呂があり、春は新緑、秋は紅葉と川のせせらぎを聞きながら、移ろう季節の景色とともにゆっくり湯あみを楽しむことができるという魅力的な温泉です。

緑がかったにごり湯の温泉は、天候や気温、時間によって透明、白濁、黄褐色と色が変化するとのこと。大きいサイズの露天風呂は加温されていますが、お一人様サイズの小さなつぼ風呂には源泉がそのまま注がれていて、ここが秀逸なんです。

24℃ほどなので、夏でもないと少しつらい温度ですが、しっかりとした炭酸の泡付きにかなり感激！ 関東でここまでしっかり泡付きが見られる温泉はなかなかないので、その点でもとても貴重な温泉です。

- 泉質…カルシウム・ナトリウムーマグネシウムー炭酸水素冷鉱泉
- pH…6.1　● 泉温…23.8℃

群馬県前橋市粕川町室沢滝沢 241
☎ 027-283-5711　🕒 10:30 ～ 15:00
¥ 入浴料：大人 600 円、子ども 400 円／宿泊料：1 万円～

長野県

唐沢鉱泉《からさわこうせん》

真ん中が源泉の湯留め。加温していてもぬる湯では泡付きあり。

刺激的な冷たさの「空色に輝く神秘の泉」

長野県茅野市にある『唐沢鉱泉』。ここは、標高1870メートルの八ヶ岳国定公園内に源泉を引いた湯宿です。

温泉は男女別の内湯のみ。源泉は10℃ほどとかなりひんやり冷たいので、加温されています。41℃の熱めと36℃のぬるめと、温度が違う温泉が2つあります。

真ん中の湯口は源泉の湯留め、また打たせ湯もあり、ここで源泉を浴びることができます。ひんやりというか、痺れるほど刺激的な冷たさです。36℃のぬる湯浴槽では、炭酸特有のアワアワがからだ全体を覆うのですが、これが気持ちいい！ ちょっときしむような浴感の湯は、白と黄土色の湯の花が舞っています。また宿の敷地内には源泉があって、ここは「空色に輝く神秘の泉」といわれているのだとか。豊富な湯量が自然湧出されていて、とても神秘的でした。

- 泉質…二酸化炭素冷鉱泉
- pH…4.0
- 泉温…10.2℃

長野県茅野市豊平 4733-1
☎ 0266-76-2525 🕒 10：00 ～ 16：00
¥ 入浴料：大人 700 円、子ども 400 円／
宿泊料：1万 3350 円～
※1月中旬～4月初旬まで冬期休業

佐賀県

ヌルヌル有田温泉《ぬるぬるありたおんせん》

まるで美容液につかっている気分？ 屋号通りのヌルヌル温泉です。

17℃

新感覚のヌルヌル＆しっとり浴感

有田焼で有名な佐賀県有田町。自然豊かな町にひっそりと佇む『ヌルヌル有田温泉』。ここは日帰りのみの温泉施設です。

行く前から国内屈指のヌルヌル温泉が楽しめると評判を聞いていて、ぜひ行ってみたいと思っていた温泉でした。一体どれだけヌルヌルなんだろう？ 期待に胸を膨らませながら、いざ温泉へ。

温泉は男女別に内湯と露天風呂があります。内湯は加温していますが、露天風呂は源泉をそのまま使用しているのだそうです。源泉温度は 17℃ほどと、かなりひんやり温泉です。冬は寒いけれど、加温された内湯と交互に入ることでからだが軽くなり、そしてお肌もしっとり潤う感じがありました。

温泉はとにかくヌルヌルで肌にまとわりつく感じが、まるでワセリンでも塗ったかのよう。新感覚の温泉でした。

- 泉質…ナトリウム炭酸水素塩冷鉱泉
- pH…9.43
- 泉温…17℃

佐賀県西松浦郡有田町南原甲 902
☎ 0955-42-6988
🕒 10：30 〜 22：30（第 3 水曜定休）
¥ 入浴料：大人（高校生以上）650 円、子ども（小・中学生）430 円

1泊2日で
3つの湯を
楽しめる!

はしご湯 in 山梨

“ぬる湯天国”山梨。どこへ行っても個性あるぬる湯温泉が楽しめますが、その中でもご紹介したいのが、からだが細胞からよろこび、肌がトーンアップする「はしご湯」コース! ツルツルスベスベの美肌に近づけるために1泊2日のプチ旅行はいかがですか?

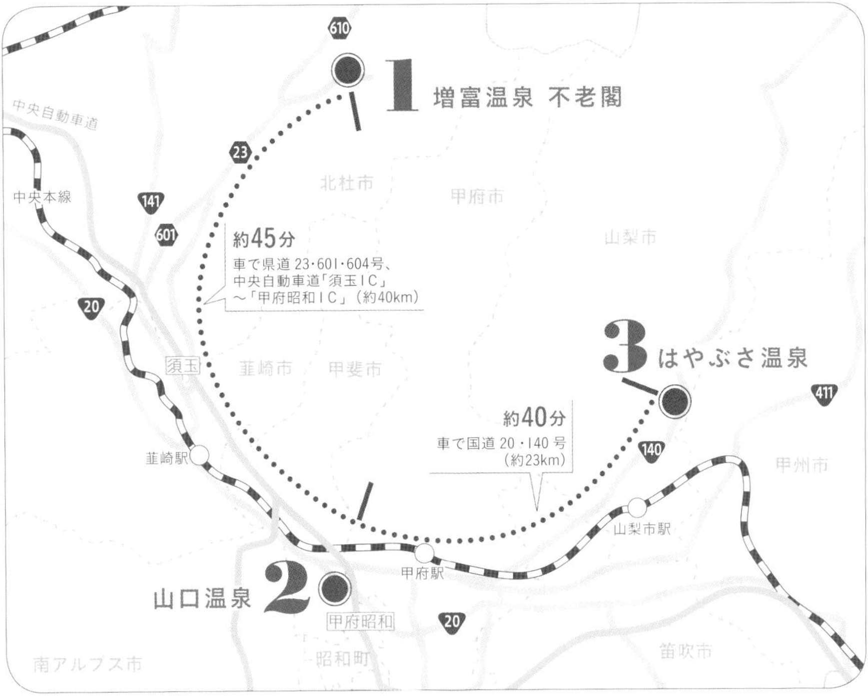

はしご湯 spot 1

山梨県北杜市

増富温泉《ますとみおんせん》 不老閣《ふろうかく》

源泉の種類も豊富な湯宿

アンチエイジング効果も期待して

湯窪の湯

宿泊者限定天然岩風呂と同じ温泉を27～32℃に加温した湯窪の湯。アワアワが心地よい至福の温泉です。

1日目は、『増富温泉 不老閣』に宿泊します。チェックインはうれしい14時からなので、できるだけ早く訪れるのがオススメ。徹底的にからだをいたわりましょう。

到着すると、まずは女将さんから、温泉の入り方についてご説明いただけます。また、事前予約をしておくと、温泉利用指導者と鍼灸師の資格をお持ちのご主人が、その人の体調などに合わせた入浴法を考えてくださいますよ。

源泉は5本所有でそのすべてが源泉掛け流し。「不老の湯」と「長寿の湯」は日替わりで男女が交替し、宿泊すれば両方に入浴が可能です。

「不老の湯」には、ラドンを吸引できるスペースがあり、ミストサウナのように蒸気を

源泉はなんと5本！ すべて100％掛け流し

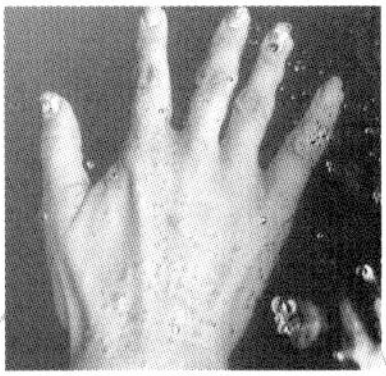

ひんやり温泉の岩風呂。ここは炭酸ガス由来のアワアワが全身を包み込み、これがかなり心地いい！ じんわり温かくなる感覚があります。

ノスタルジックさ漂う湯宿。ここは温泉の湯力に感激したリピーターがとても多く、アットホームな雰囲気です。

蒸気吸入室

ラジウム蒸気吸入室は、浴室の数倍の濃度でラドンが充満！ 腹式呼吸でたくさん浴びれば、アンチエイジングの効果が期待できそう。

たっぷり吸引できます。アロマの香りが漂っていて、かなり心地いい空間。

「天然岩の湯」や「長寿の湯」では、ひんやり温泉と加温した温泉とで交互入浴を。「天然岩の湯」は、ひんやりですが炭酸のアワアワが気持ちいいのです。翌日のチェックアウトは11時までなので、それまでたっぷりと温泉で細胞の若返りを図りましょう。

- 泉質…（岩の湯源泉）含放射能—ナトリウムー塩化物冷鉱泉、（不老閣源泉）ナトリウムー塩化物温泉
- pH…6.3、5.8　● 泉温…21.5℃、32.3℃

山梨県北杜市須玉町小尾6672
☎0551-45-0311
🕒12：30～15：00（要問合せ）
¥ 入浴料：大人800円／
宿泊料：1万1000円～（素泊まり：4000円～）

はしご湯
spot 2

山梨県甲斐市

山口温泉《やまぐちおんせん》

不感温度で優しい浴感を堪能
全身のこりをほぐしてストレスオフ

足下注意!!
8人ほどが入れるサイズの露天風呂。足下にはご注意を。それくらいニュルニュルする温泉です。

『増富温泉 不老閣』をのんびりチェックアウトしたあとは、甲府方面へ。知る人ぞ知る穴場のアワアワぬる湯温泉、『山口温泉』を目指します。

ここは、ぶどう畑を経営していた山口社長が、1987年に畑を掘ったら出てきた温泉だそうです。屋号は社長の苗字から「山口温泉」と付けられ、翌年から日帰り温泉としてスタートした施設です。

普通の民家そのものの外観で、知らなければ温泉とは気づかないかも。アワアワがからだに付着するぬる湯ですが、こちらは植物由来の「モール泉」と呼ばれていて、やさしい浴感を堪能することができるのです。

温泉は、男女別の内湯と露天風呂がひとつずつ。毎分686リットルが掛け流され

豊富な湯量！

毎分686リットルと、とにかく湯量が豊富！ ザーザー掛け流される、鮮度抜群の温泉です。

住宅地にひっそり佇む知る人ぞ知る名湯

内湯は10人ほどが入れるサイズ。白く濁っているかのように見えるくらい、フレッシュで細かなアワアワが。

オレンジ色の瓦屋根が印象的な建物。大きめの看板は出ているものの、住宅地に囲まれる穴場的なスポットです。

ていて、湯量がかなり豊富なのも特徴です。36～37℃ほどの不感温度で、からだと湯が一体化するような感覚が心地よく、日頃のストレスやこりが一気にほぐれます。

美容液級のトロトロさもあり、気をつけないと滑って転んでしまいそう。鮮度抜群のアワアワでトロトロのぬる湯をたっぷり浴びたら、次の温泉へ向かいましょう。

- 泉質…ナトリウム－炭酸水素塩・塩化物泉
- pH…7.65
- 泉温…41.6℃

山梨県甲斐市篠原477
☎055-279-2611　🕒9:00～21:00（月曜定休）
¥入浴料（1時間）：大人500円、子ども300円
※休憩付：大人1000円、子ども800円

はしご湯 spot 3

山梨県山梨市

はやぶさ温泉《はやぶさおんせん》

仕上げはお肌のクレンジング
美肌効果も期待できる湯をのんびり満喫

鮮度抜群!

魚の形をした湯口からは、ドバドバと勢いよく掛け流されています。鮮度抜群のぬる湯温泉です。

山梨のはしご湯、最後は山梨市の『はやぶさ温泉』へ。ここ一帯は甲府盆地の北東に位置し、今も歴史ある建物や文化財が多く残っていることから、「甲府の鎌倉」とも呼ばれています。こちらも、湯量が豊富な源泉掛け流しの温泉で、カランのシャワーも温泉を使用しているほど。湯につかれば健康になれるとの評判が高く、いつも県内外から訪れる多くの人で賑わっている日帰り温泉施設です。さらに、美肌効果もかなり期待できる温泉で、古い角質や皮脂を乳化し、汚れを落としやすくする“クレンジング”のような役割をしてくれる湯が堪能できるんです。

39℃ほどのぬる湯がとても気持ちよく、つかってほどなくすると、じんわり汗ばんできます。湯口では、新鮮な湯の証であ

湯口で飛び跳ねる魚もユニーク！

露天風呂

植えられた緑も美しく、のんびりとした雰囲気に包まれる露天風呂は、湯口付近が大人気。譲り合って湯浴みを。

正面には、きれいに手入れされた庭も。建物は笛吹川沿いにあり、高い石垣の上にあります。

『はやぶさ温泉』の温泉水は、化粧水やオールインワンゲル、飲料水としても販売されています。

る細かな気泡が見られ、勢いよく浴槽に注がれている様は見ていても楽しくて、テンションが上がります。露天風呂は、季節や気温によってはさらに湯温が下がりますが、のんびりと湯を満喫するのには最高です。クレンジングの湯をたくさん浴びた湯上がり後は、しっかりと保湿も忘れずに。

大満足の「はしご湯」コースでした。

- 泉質…アルカリ性単純温泉
- pH…9.95
- 泉温…42℃

山梨県山梨市牧丘町隼 818-1
☎0553-35-2611　🕒10:00～21:00（火曜定休）
¥ 入浴料（2 時間）：大人（中学生以上）700 円、子ども（3 歳以上）500 円、幼児無料
※有料休憩室あり

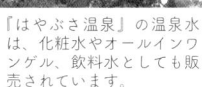

お持ち帰りしたい温泉コスメ

美肌効果が期待できるような、泉質自慢の温泉に入って感じるお肌の変化はうれしいもの。できればその温泉を、一部だけでも持ち帰って、自宅でも楽しみたいと思いますよね。ここでは、これまでの湯巡りで出会った、オススメの温泉コスメや入浴剤をご紹介します。

強アルカリの美人の湯コスメ

地下1000メートルから自噴している温泉水を使用したミストとオールインワンゲル。ヒアルロン酸も含んでおり、保湿力抜群です。

はやぶさ温泉（p.100）

ラムネ温泉館（p.60）

自宅のお風呂でアワアワを！

日本一の炭酸泉を謳う長湯温泉。その長湯温泉のある大分県竹田市と民間企業のコラボで作られた重炭酸入浴剤は、血流促進効果に優れています。お肌だけでなく、髪もサラサラに（長湯温泉の各施設で販売）。

炭酸泉マスクで美肌効果を

奥会津金山町の天然炭酸水に含まれる炭酸水素イオンとメタケイ酸をいかしたマスクは、お肌がふっくらなめらかに。潤いが持続します。

せせらぎ荘（p.56）

有馬温泉

温泉コスメの詰め合わせ

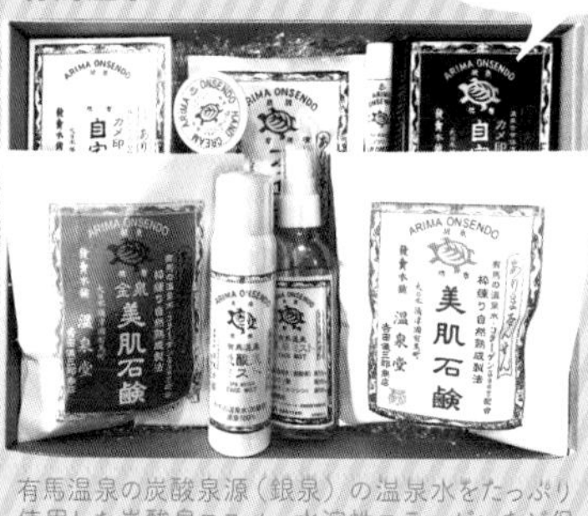

有馬温泉の炭酸泉源（銀泉）の温泉水をたっぷり使用した炭酸泉コスメ。水溶性コラーゲンなど保湿成分が豊富に含まれ、しっとり美肌に。石鹸やミストなど種類が豊富。

源泉たっぷりのラジウム泉コスメ

三朝温泉の源泉を70%使用したナチュラルなフェイスマスクは、ラドンの働きで美肌に近づけてくれます。しっとり、そしてアンチエイジング効果に期待できるマスクです。

三朝温泉

PART4

一生に一度は行きたい
極上のぬる湯温泉

北海道

ニセコ黄金温泉《にせここがねおんせん》

露天風呂は大きな岩で目隠しがあったり、雨対策でパラソルがあったりと至れり尽くせり。

36℃ 10年以上かけて完成した手づくり温泉

北海道のニセコ連峰などの山々に囲まれる蘭越町、その田園風景の中に突如出現する『ニセコ黄金温泉』。ここは、蘭越町で米農家を営むオーナーの林さんが、農作業で掘削したら温泉が湧き出したので、浴槽から露天風呂、建物に至るまで、10年以上の歳月をかけて自前でつくったという手づくりの日帰り温泉施設。5月から10月までの期間限定で営業しています。

源泉温度は40.7℃とぬるめで、基本的には加温をせずに入ることができます。温泉は、男女別の内湯に露天風呂、混浴の露天風呂があります。内湯は6人くらいが同時に入れるサイズ。41℃前後の湯は、鶯色をしていて、ツルツルスベスベの浴感が気持ちいいです。一方の露天風呂は、開放感が抜群。36℃ほどの混浴露天風呂のほか、つぼ湯の五右衛門風呂や寝湯もあり、女性浴槽は“蝦夷富士”とも呼ばれる羊蹄山と、ニセコ連峰の主峰・ニセコアンヌプリを向いてつくられているので、絶景が楽しめます。晴れた日の羊蹄山とニセコアンヌプリはものすごくきれいです。

つぼ湯や寝湯は、源泉が空気に触れずにそのまま注がれているので、湯の鮮度が抜群。パラソルがついているので雨の日でも露天風呂につかることができます。

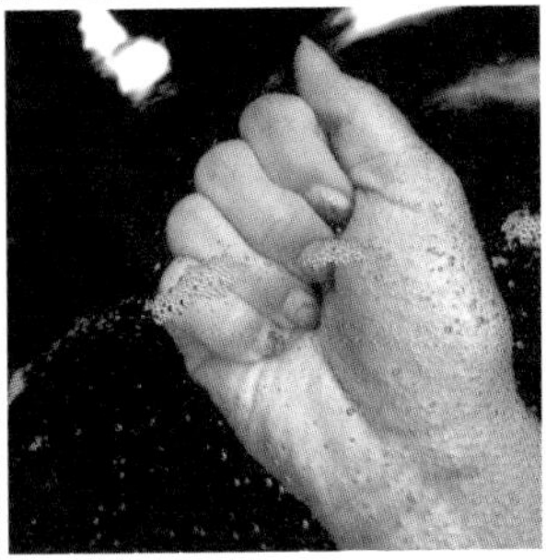

炭酸ガスを含む細かな気泡がびっしり!

つぼ湯は、39℃の不感温度が心地よいぬる湯。こぢんまりしたお一人様サイズなので、すぐに湯が入れ替わるという、温泉好きのツボを刺激する素晴らしい造り。気泡のアワアワも半端なく、さらに絶景も楽しめるという、温泉にとって理想とする条件が三拍子も揃った、これぞ究極のぬる湯・絶景・露天風呂だと思ったのでした。

オーナーの林さんはご高齢のため、こだわって作っていた数量限定の十割そばの提供を令和元年10月末でやめるとのこと。とても残念で寂しい気持ちですが、「温泉はいつまでできるかわからないけど、まだまだ元気なうちは営業するよ」と聞けて一安心です。素朴で温かくて、これだけ立派な手づくりの温泉施設は全国でもここだけです。この極上のぬる湯をいつまでも楽しませていただきたいと思います。

- 泉質…ナトリウム－塩化物・硫酸塩・炭酸水素塩温泉
- pH…6.7　● 泉温…40.8℃

北海道磯谷郡蘭越町字黄金 258-1
☎ 0136-58-2654
🕒 10：00 ～ 20：00（※ 11 ～ 4 月休業）
¥ 入浴料：大人 500 円、子ども 300 円

福島県

玉梨温泉《たまなしおんせん》 恵比寿屋《えびすや》

貸切風呂「月と太陽」。2つの源泉の湯につかることができます。

37℃ シュワシュワの“爆泡”付き美人の湯

会津若松市内から西へ車で1時間ほど、只見川の支流・野尻川沿いに佇む老舗の一軒宿が『玉梨温泉 恵比寿屋』です。

こちらの湯宿は、源泉掛け流しの天然炭酸泉に対するこだわりを強く持っており、源泉が持つ湯力を最大限にいかした温泉を提供してくれます。

温泉は、男女別の内湯と露天風呂のほかに、貸切の内湯がありますが、貸切の内湯ではかなりすごいアワアワを体感できます。宿泊者は無料ですが、日帰りの利用でも35分間1000円で入浴することができます。

「月と太陽」がモチーフの、杉の香りが漂う浴室は、月と太陽の形をした窓から明るい日差しがたっぷりと降り注ぎ、とても絵になる風景です。入って手前が42℃ほどと熱めの「玉梨温泉」、奥が38℃ほどでぬる湯の「八町温泉」と、2種類の浴槽があります。

特に秀逸だったのが奥の八町温泉で、この湯はかなりうれしいサプライズでした。分析表上では、炭酸ガスの含有量が797.8mgとのことですが、温泉は生き物。今測定したらもっと数値があるのではというくらい、思っていた以上に勢いよく吹き出すような激しい泡の付きっぷりに、ひたすら感動しっぱなしだったのでした。

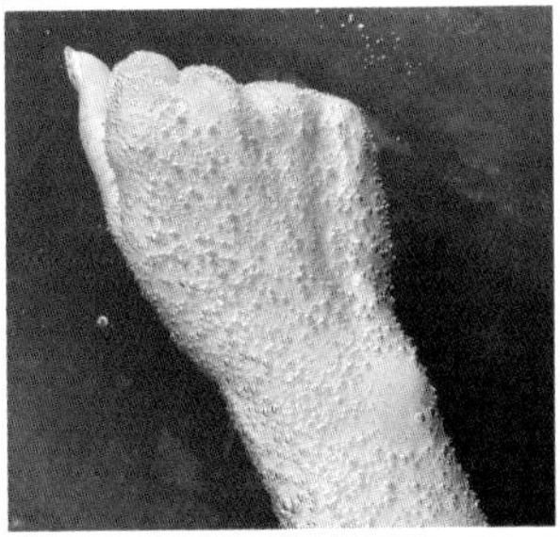

炭酸ガスを含む中井湯は、瞬く間に気泡がびっしり!

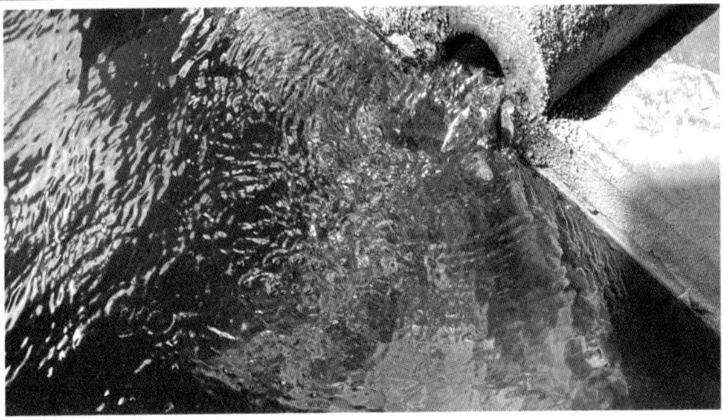

実はこの温泉、2020年2月に使用するポンプを変えたのだそうで、そのポンプとの相性がとてもいいのか、今は“爆泡”付き湯をたっぷりと堪能することができるようになりました。これが本当にすごい! 38℃ほどの心地よい不感温度のぬる湯なのに、はじめはシャンパンのように細かな泡が、そしてたちまち大きな気泡へと変わり全身をあっという間に覆って包み込みます。拭っても拭っても泡だらけになる様は、ずっと見ていてもとても楽しくて、35分間の貸切時間があっという間でした。

こちらの八町温泉は、さまざまな泉質が少しずつ溶けこんでいる美人の湯なので、しっとり美肌へと導いてくれますよ。

ぜひ一度は、この激しい泡付きのシュワシュワぬる湯を味わってほしい、そう思わずにいられない極上温泉です。

- 泉質…ナトリウム－炭酸水素塩・塩化物・硫酸塩温泉、ナトリウム－炭酸水素塩・塩化物・硫酸塩温泉
- pH…6.1、6.4
- 泉温…41.8℃、45.9℃

福島県大沼郡金山町玉梨横井戸 2786-1
☎ 0241-54-2211　🕒 10:00 ～ 17:00（要確認）
¥ 入浴料：(貸切風呂「月と太陽」) 35分 1000円／宿泊料：8340円～

新潟県

駒の湯温泉《こまのゆおんせん》 駒の湯山荘《こまのゆさんそう》

ぬる湯と加温の浴槽がセット。湯量の豊富さに圧倒されます。

33℃ 化粧水いらずの潤いを実感できる絶品湯

新潟県魚沼市、関越自動車道・小出ICから30分のところにある『駒の湯山荘』。ここは、テレビもなければ、スマホもWi-Fiも通じない秘境、通称「ランプの宿」。11月下旬頃から4月中旬頃までは冬季休業する、期間限定営業の湯宿です。ここにあるのは、囲炉裏とランプと全部で7カ所ある掛け流しの温泉だけ。“デジタルデトックス”して、非日常をとことん味わうことができます。

もともとは日帰り入浴不可でしたが、今は一部の風呂で日帰り入浴ができるようになりました。でもここは、宿泊してすべての温泉を堪能し、新潟のコシヒカリや地産地消料理に舌鼓を打ってほしいところです。

源泉の温度は33℃ほどで、毎分2000リットルと湯量が豊富。湧き出しすぎるからと、館内は飲み水としてはもちろん、洗面、トイレと、すべて温泉が使用されています。温泉が日常ではない私たちからしたら、これはとても贅沢な環境です。

33℃ほどのぬる湯は、ずっとつかっていても湯疲れすることはなく、長湯ができます。ひんやりめのぬる湯が気持ちよいのですが、真夏でもない限り、だんだん寒くなってきます。でも、ぬる湯のすぐそばに加温された浴槽がセットであるのでうれしい造りです。

混浴浴槽は、女性への配慮で赤い巻きタオルが用意されています。

電波も届かず、電気もない秘湯の宿。灯りはランプです。

中には、本を持ち込んで長湯しながら温泉を楽しむ方も多いそうですが、たまに10時間くらい、ずっと入りっぱなしの方もいらっしゃるのだとか。さすがに10時間ものつかりっぱなしは、ぬる湯が大好きな私でもつらいかも……。内湯、露天、貸切など種類が豊富なぬる湯の温泉は、硫黄の香りがする、アルカリ性単純温泉。万人受けする湯は、化粧水がいらないほど、お肌がしっとりスベスベに潤うのが感じられましたよ。

ぬる湯と加温の浴槽とを交互に入り、出たり入ったりを繰り返し、気がつけばそれなりの時間を温泉で過ごしていました。夜も星空の下、ランプの幻想的な光の演出と星空が美しくて、つい長湯に。フレッシュな細かいアワアワがからだに付いて、これがたまらない心地よさ。マイルドな浴感の絶品湯をとことん味わえる湯宿です。

- 泉質…アルカリ性単純温泉
- pH…8.6
- 泉温…32.5℃

新潟県魚沼市大湯温泉 719-1
☎ 090-2560-0305
8：00 ～ 16：00
¥ 入浴料：500 円／宿泊料：9950 円～
※ 11 月下旬～ 4 月中旬頃までは冬季休業

新潟県

寺宝温泉《じほうおんせん》

同じ露天風呂でも場所によって温度が違い、35 ～ 37℃くらいです。

35℃　紅茶のような色と甘い香りのモール泉

『寺宝温泉』は、新潟県長岡市の郊外、住宅地の中に田んぼが点在している場所にある温泉施設です。ここは、絶景が楽しめるとか、秘湯感が漂っているとかではなく、温泉そのものの魅力だけを堪能する、いわば普段着のような温泉です。

実際、湯量が豊富で、源泉を掛け捨てるほど溢れているため、“源泉掛け捨て温泉”としての強いこだわりが随所で感じられるほど。でもこの言葉、誇大でも盛りすぎというわけでも決してなくて、実際に湯は豊富すぎるほど溢れています。

温泉は、男女別の内湯と露天風呂があり、露天風呂には檜風呂と岩をくり抜いた石湯があります。掛け捨てるほど温泉が湧くからか、カランも源泉が使われています。

また、“純生の湯”ともいわれる通り、フレッシュな温泉は泡付きがすごいです。湯口では、特に鮮度抜群の細かくて繊細なアワアワがたくさん付着します。これが本当にすごすぎて、ひたすら感動しっぱなしでした。

やわらかな浴感がとても心地よいモール泉で、太古の草木や海藻など、植物由来の成分が含まれています。この 35 ～ 36℃ほどのぬる湯は、いつまでも入っていられるくらい心地よく、紅茶のような色のモール泉の甘

一見アパート？ 実は宿泊もできるんです。

い香りにもうっとりします。

そして施設の案内によると、天然源泉マグマの深層部より直接噴出している炭酸水素イオンで、全身に気泡がまとわりつき、からだの悪い活性酸素を体外に排出してくれる作用があるのだとか。内湯より露天風呂のほうが、湯のよさを体感できました。

営業時間も夜9時までなので、地元の方の利用も多く、とても賑わっています。てっきり日帰り温泉施設なのかと思い込んでいたのですが、実は2階で宿泊もできるのだそうです。お弁当などの選べる食事もありますし、自炊もできるので、ゆっくりと湯治ができそうです。しかも、Wi-Fiもしっかり完備されているので、ここでテレワークをしながら温泉につかり、湯治ができると思ったのでした。こんな現代的な湯治スタイルもいいかもしれません。

- 泉質…ナトリウム－塩化物温泉
- pH…8.0
- 泉温…40.7℃

新潟県長岡市寺宝町 82
☎ 0258-29-4126　🕒 7：00 ～ 21：00
¥ 入浴料：大人 700 円（平日夕方 17 時～大人 600 円）／宿泊料：3800 円～（素泊まり）

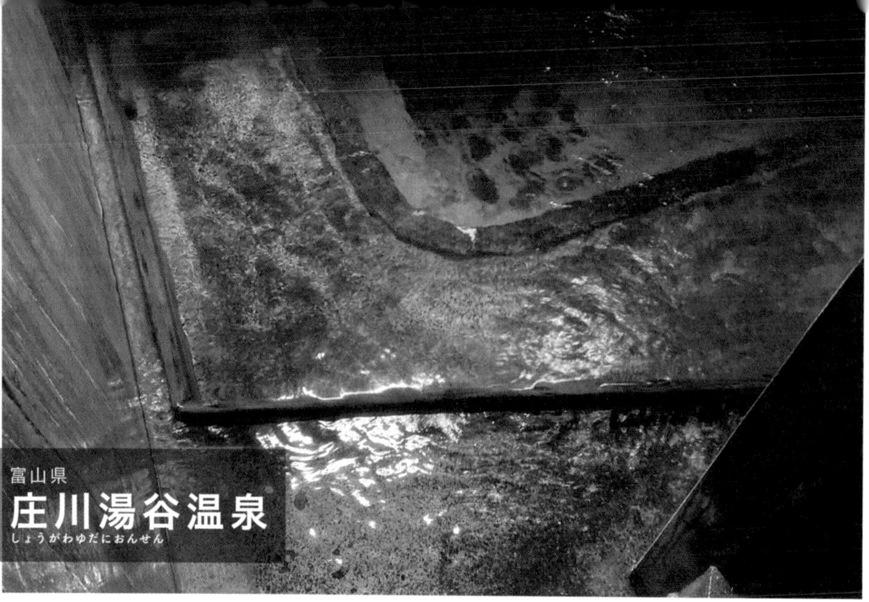

富山県

庄川湯谷温泉《しょうがわゆだにおんせん》

どこが浴槽でどこが床なのか？ 境目がまったくわかりません。

38℃ 洞窟風の浴室にただただ溢れる極上湯

『庄川湯谷温泉』は、富山県庄川沿い、庄川を堰き止めている小牧ダム建設用地の下流に佇む温泉施設です。

周りには緑豊かな大自然が広がり、とても静かで、都会の喧騒を忘れさせてくれます。駐車場から急な坂道をしばらく下りて、坂を下り切ったところに現れる民家が目的の温泉。ここが、多くの温泉愛好家の方々が口を揃えて大絶賛している、鄙びた温泉の『庄川湯谷温泉』なのです。

まるで洞窟風呂のような半地下の浴室——、ここには温泉しかありません。どこが床で、どこが浴槽なのか、その境目がわからないほど、浴室の階段部分まで温泉が浸水しています。洗い場やシャワーのスペースもなくて、かけ湯をする場所すら見当たらず、桶も置いてありません。洪水のように、ただ温泉が溢れています。

男湯と女湯を隔てた仕切りの中央部には、上下可動式の筒型の湯口があり、これが大砲のように見えます。この太い筒型の湯口を動かすと、シーソーのように行ったり来たり、そして持ち上げると勢いよく湯が噴射します。ポンプなど人工的な装置を一切使わずに、自然の力だけで湧き出ている源泉。その勢いはものすごく、源泉掛け流しの加減が半端

筒型の湯口は、持ち上げると勢いよく源泉が噴射。

廊下を進み、ひたすら階段を下りると温泉があります。

ないことでも知られているのです。

微かに硫黄臭が感じられる湯は、ヌルヌルとした肌触りで、ツルツルスベスベの浴感。そして新鮮な湯の証である細かな気泡がプチプチと全身にびっしり付きます。それが徐々に大きな気泡になるのは見ていても楽しくて、気持ちもいいです。

38℃のぬる湯は長湯するにはちょうどいいくらいで、冬でも寒いとは感じませんでした。それどころか、だんだん汗ばんでくるほどよく温まりました。

温泉はとにかく心地よく、泡付きと、湯口の大噴射、それに排水がまったく追いついていない様子を眺めながら、素晴らしい温泉を堪能することができました。

全国的に見ても、このような温泉はここにしかないのでは……。衝撃的すぎて忘れられない温泉になりました。

- 泉質…ナトリウム・カルシウム－塩化物泉
- pH…不明
- 泉温…39.5℃

富山県礪波市庄川町湯谷 235
☎ 0763-82-0646
🕒 9：00 ～ 16：00（木曜定休）
¥ 入浴料：500 円

山梨県

韮崎旭温泉《にらさきあさひおんせん》

無色透明のスベスベ温泉ですが、タイルの色から色が付いているかのようにも見えます。

37℃ 爽快感がたまらない微炭酸のトロトロ湯

山梨県には、トロトロとした浴感が気持ちいいぬる湯やひんやり温泉が多いので、あちこちの温泉につかってきました。その中でも、湯にひたすら感動し、何度も再訪している温泉が、ここ『韮崎旭温泉』です。

ここは、韮崎駅から釜無川を渡った先の斜面にぽつんと佇んでいる日帰り温泉施設なのですが、地元の人はもちろん、県内外から多くの人たちが、この湯を求めてやって来るので、平日でも、昼間でも、いつも混み合っています。

こちらの温泉は、ぬる湯の実力派揃いの山梨の中でも、「ぬる湯」「新鮮な気泡がたっぷり付着」の２つが飛び抜けてすごくて、とても心地よい温泉なんです。

温泉は、男女別の内湯があるだけ。20人くらい入れる大きなサイズの浴槽には、37℃前後の源泉が掛け流しで、たっぷり注がれています。新鮮な湯ならではなのですが、ものすごい気泡が付着するアワアワが瞬く間にからだにびっしり付いて、そのアワアワを拭うスベスベとした感触が、もうたまらないのです。湯口付近はさらにパワフル。なので、常連さんをはじめ、みなさんがこの湯口を狙うので、湯口付近はいつも多くの人たちに囲まれ賑わっています。

窓の外には富士山の頭をちょっぴり見ることができます。

湯口の上にはコップが置いてありますが、ここは保健所の許可が下りた飲泉可能な湯だということ。実際に少し飲んでみると、微炭酸のような穏やかなシュワシュワの中に、ミネラル豊富な鉄、さらに玉子のにおいも感じられます。

窓の外には、富士山もちょっぴり頭が見え、のどかな景色を窓から楽しむことができます。湯口付近の気持ちよさや、窓の外の景色を楽しみながら、アワアワのぬる湯をたっぷり湯浴みしていると、あっという間に1時間くらい過ぎています。湯上がり後のサッパリ、爽快感がたまらないのです！

まだ知らぬ未湯の湯を求めて湯巡りをしていると、ついつい再訪することは少なくなってしまいがちなのですが、そんな中でもここは別。何度行っても、また行きたくなる温泉なのです。

- 泉質…ナトリウム－塩化物・炭酸水素塩泉
- pH…8.1
- 泉温…40.5℃

山梨県韮崎市旭町上条中割 391
☎ 0551-23-6311
🕒 10：00 ～ 21：00（火曜定休）
¥ 入浴料：大人 600 円、子ども 300 円

島根県

千原湯谷湯治場《ちはらゆんだにとうじば》

湯治色が残る温泉。ありがたく湯浴みを。

34℃ 足下湧出の湯治湯はまさに“至福温泉”

島根県は、三瓶山周辺など、知る人ぞ知る秘湯が多く、温泉好きのツボを刺激するような魅力的な温泉が多いことで知られています。その中にあって、全国的にも希少な「足下湧出」「ぬる湯」の自噴温泉につかることができるのが、『千原湯谷湯治場』。ここは、邑智郡美郷町域の北東部千原川の渓谷の近くにある日帰り温泉施設です。

数年前までは、観光目的の健康な一般の人の入浴はお断りしてきた本格的な湯治場でした。火傷や切り傷、皮膚病などの療養のための薬湯の湯治場として、山間部でひっそりと営業している温泉だったのですが、今は一般の人も受け入れてもらえます。

男女別の内湯のみで、3人ほどでいっぱいになる小さな浴槽のため、1回30分～1時間という入湯時間となっています。

でも、絶妙なぬる湯があまりにも気持ちよすぎて、中にはもう少し長い時間を湯浴みしている人や、ウトウトしてしまう人も。

34～35℃の体温より少し低い湯温ですが、炭酸泉の湯は体感温度がプラス2℃くらい上がるといわれているので、ここの湯も湯温よりはもう少し体温程度はあるように感じられます。それでも十分ぬるい温泉は、しばらくすると血の巡りがよくなり、ポカポカして

炭酸だけではなく、塩分や鉄分も豊富で濃厚なにごり湯。

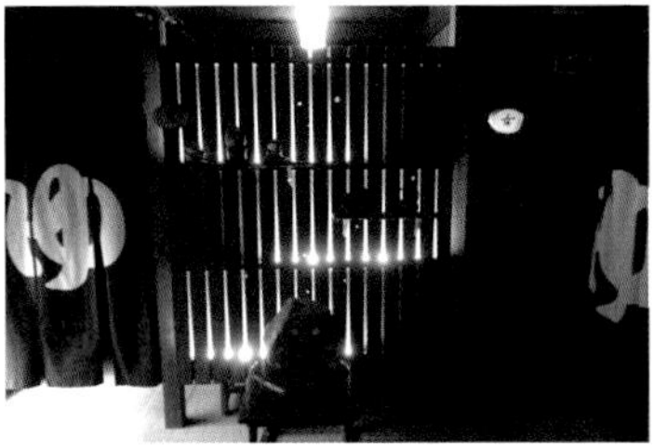

ところどころに、スタイリッシュさも見られるようになりました。

くる、とても心地よい湯です。

ぷくっぷくっと生まれたての湯が足下から湧出している温泉なので、湯と一緒に炭酸ガスのアワアワがからだに付着し、くすぐられるかのような感覚。

でも、この感覚が本当に心地いいのです。地球の恵みにありがたくつからせていただいているなぁとしみじみ思う温泉です。スベスベの浴感、天然化粧水成分のメタケイ酸を含む美肌形成温泉をからだにたっぷり染み込ませ、不感温度のぬる湯を湯浴みしていると1時間なんてあっという間。びっくりするほど時間が早く過ぎていきました。わざわざ行く価値のある“至福温泉”です。

夏場はこのぬる湯、特に心地よいのですが、この湯温だと冬は寒いので、11月から翌年の５月までは、源泉を薪で沸かした五右衛門風呂の上がり湯が登場します。

- 泉質…ナトリウム－塩化物・硫酸塩泉
- pH…6.5
- 泉温…34℃

島根県美郷町千原 1070　☎0855-76-0334
(4月～10月) 8：00～18：00、
(11月～3月) 8：00～17：00、木曜定休
入浴料：大人 500 円、子ども 300 円

徳島県

和の宿ホテル祖谷温泉《わのやどほてるいやおんせん》

ダイナミック渓流の自然美にも触れて、とことんリラックス。

38.2℃ 四国一と評される素晴らしい泉質

日本三大秘境の祖谷渓谷、その崖ギリギリのところに建つ湯宿が『和の宿ホテル祖谷温泉』です。祖谷川の渓谷の上にあるため、谷底にある温泉へは自家用のケーブルカーで降りていくというスタイルもユニークです。建物から標高差170メートルあるＹ字の奥深い谷底まで、自分でスイッチを押してケーブルカーを運転し、所要時間５分ほどで温泉へと到着します。

祖谷渓谷の中へせり出すようにつくられた見事な見晴らしの露天風呂は、「渓谷の湯」と「せせらぎの湯」の2つ。

湯量が豊富な源泉掛け流しの露天風呂は、玉子スープのような白い湯の花が舞い、硫黄のにおいがしっかり。いつまでもつかっていられるくらいの不感温度のぬる湯は、夏場は特にとても気持ちいい！

鮮度抜群の湯は、細かいアワアワたっぷり。まるでシャンパンのような繊細なアワっぷりに、ひたすら感動しました。2つの露天風呂は、1日交替で男女を入れ替えての利用となります。

宿泊すると朝夕で両方の露天風呂に入れますが、「渓谷の湯」のほうが、真下に広がる自然の景色を楽しむことができるのでこちらのほうが好みでした。「せせらぎの湯」だと

湯口付近は、湯が真っ白に見えるほど細かなアワアワがものすごい温泉です。

身を乗り出さないと景色を楽しめません。

15人くらいが入れるサイズの浴槽には、ものすごくヌルヌルトロトロとした浴感の湯が、湯口から豪快な音を立てながらザバザバと掛け流し。なるほど、こちらの温泉が四国一と評されるのも納得です。というより、全国でも指折りの素晴らしい湯だと思いました。無色透明ですが、湯が白く見えるのは無数の気泡の集合体によるもの。この様子は、ずっと見ていてもおもしろい。あまりに湯口の周りの細かな泡の集合体に感動したので、湯口付近をキープしながら湯を楽しみました。泉質も素晴らしいぬる湯だったので、ここから離れたくないと思ってしまうほど、それくらい最高の温泉を味わうことができました。

2つの露天風呂のほかにも、貸切露天風呂の「やまぎりの湯」、建物内には展望大浴場もあります。

- 泉質…アルカリ性単純硫黄温泉
- pH…9.1
- 泉温…38.2℃

徳島県三好市池田町松尾松本 367-28
☎ 0883-75-2311 🕒 7：30 ～ 18：00
¥ 入浴料：大人 1700 円、子ども 900 円／宿泊料：1 万 6800 円～
※宿泊者入浴時間 7：00 ～ 21：00（1月4日～2月末は 19：00 まで）

大分県

壁湯天然洞窟温泉《かべゆてんねんどうくつおんせん》 旅館《りょかん》 福元屋《ふくもとや》

名物の混浴の洞窟風呂。ここへはぜひチャレンジを。

36.6℃ 岩壁と岩の切れ目から自噴する洞窟温泉

壁湯天然洞窟温泉は九重山麓北西にあり、300 年以上も前から自噴している天然温泉です。開湯は江戸時代で、鹿がお湯につかって傷を癒しているのを猟師が見つけたことがはじまりといわれています。

『壁湯天然洞窟温泉 旅館 福元屋』は宿泊すると、混浴の洞窟風呂（壁湯天然洞窟温泉）、２つある内湯の貸切風呂、女性専用洞窟風呂（内湯）のほか、夏季限定で河原にある「蛍見の湯」も利用できます。

その中でも、町田川渓流沿いの天然の洞窟風呂が名物。この洞窟風呂は混浴ですが、バスタオル巻きや湯浴み着着用で入浴することができます。

手前に女性専用の洞窟風呂もありますが、せっかくここに行くのなら、この混浴の洞窟風呂に入らずに帰ってしまうのはとてももったいない！ 宿泊者には無料で湯浴み着のレンタルがあるので、ぜひ勇気を出して入ってほしいと思う洞窟風呂です。

約 300 年前に川を仕切って湯船にしたという温泉は、15 人くらいが同時に入れるほどの大きさ。洞窟の岩壁に空いた横の穴と、足下の岩の切れ目から湯が自噴しています。その湯量もとにかく豊富で、かなりフレッシュな温泉を堪能することができます。新鮮な湯な

宿泊者限定の貸切風呂も雰囲気があってステキですよ。

らではのアワアワも、お肌にぷちぷち付きます。ものすごく透明感がある湯の温度は、36～37℃のぬる湯。「1時間の入浴で壁湯温泉を語るなかれ、最低2時間は入らないと」と、説明書きがされている通り、いつまでも入っていられる気持ちいい温泉です。1～2時間はあっという間ですが、ちょっと長いと思う方は、まずは1時間頑張って入ってみてください。じっとつかっていれば、そのよさをからだで実感できると思います。はじめは少しひんやり感じますが、すぐにほかほかしてきます。

洞窟風呂より一段下がったところにある、河原に面した小さな温泉も体温程度のぬる湯です。「蛍見の湯」という名の通り、夏の蛍シーズンには、ここから蛍を見られるのだそうです。宿泊者限定の貸切風呂も、加温されているものの、クセがなくやわらかな浴感に癒しを感じました。

- 泉質…単純温泉
- pH…7.9
- 泉温…36.6℃

大分県玖珠郡九重町大字町田 62-1
☎ 0973-78-8754　🕘 9：00 ～ 19：00（不定休）
¥ 入浴料：大人 300 円、子ども 150 円／
宿泊料：1 万 4040 円～

熊本県

人吉温泉《ひとよしおんせん》 華まき温泉《はなまきおんせん》

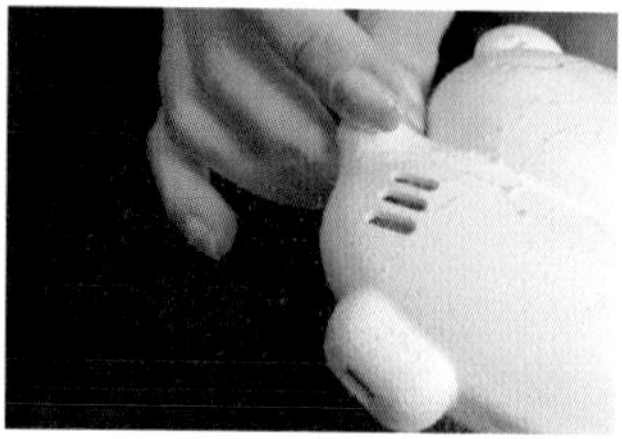

家族湯がオススメ。細かな泡付きが全然違います。

35℃　源泉そのままの秀逸な湯“清涼泉”

熊本県人吉市、カエルがあちこちで大合唱しているのどかな田園地帯にある『人吉温泉 華まき温泉』。ここは男女別の内湯と、九州に多く見られる貸切制の家族湯5室がある共同湯の日帰り温泉施設です。

男女別の大浴場からは四季折々の景色を眺めながら温泉を楽しむことができるのですが、ここは夏季限定の家族湯が秀逸。

夏場だけ、35℃ほどの源泉がそのままの“清涼泉”と呼ばれる温泉に入ることができるのです。ツルツルの浴感が気持ちいいぬる湯は、ものすごい泡付きがあり、細かなアワアワがからだ中にびっしり付き、アワアワで肌が白く見えるほど付着します。

これは炭酸ガス由来ではなく、新鮮な湯の証。でもしっかりパチパチ弾くのです。炭酸泉ではないのに“炭酸級”の湯にひたすら感動です。

- 泉質…ナトリウム－炭酸水素塩泉
- pH…8.36
- 泉温…34.1℃

熊本県人吉市下原田町嵯峨里 1518
☎ 0966-22-6981
🕒 10：00 ～ 20：00（年中無休）
¥ 入浴料：大人 400 円、子ども（小学生）300 円、小学生未満 100 円

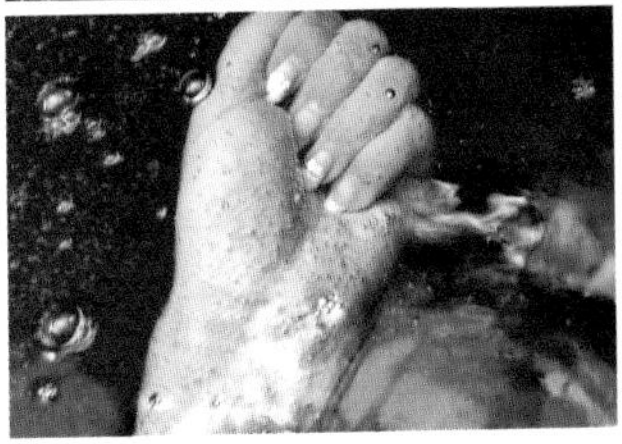

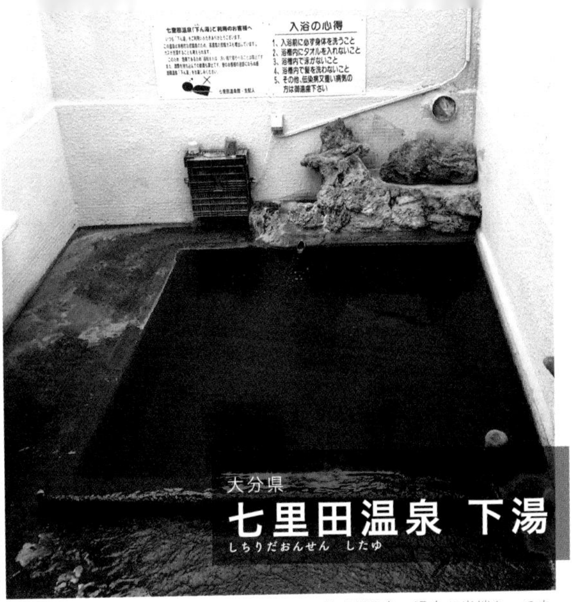

大分県

七里田温泉《しちりだおんせん》 下湯《したゆ》

ペリエ級のアワアワが付く炭酸泉。湯力が半端ないです。

ペリエ級の激しい泡付き！ 感動の炭酸泉 36℃

『七里田温泉 下湯』に湧く天然の炭酸泉は、私が日本でこれまでに出会ってきた炭酸泉の中で、一番の炭酸泉だと思っている温泉です。以前、テレビでも「日本一危険な温泉」とまでいわれたことがありますが、炭酸が強すぎて二酸化炭素が周囲に充満し、過去に死亡事故が発生したのだとか…それくらい強烈な温泉です。

窓を開けて、換気をしっかりしていることを確認して、いざ温泉へ。ラムネを超えて、ペリエ級の激しい泡付きにメロメロです。源泉温度36℃の湯は、入った瞬間一気にからだ中が泡だらけ。

ぬる湯なのに血の巡りがよくなり、すぐに額に汗がにじんできます。肌の上でパチパチ弾ける音や、どんどん集まってくるアワアワに、ずっとテンションが上がりっぱなしでした。感動の炭酸泉と出会える温泉です。

- 泉質…含二酸化炭素―マグネシウム・ナトリウム・カルシウム―炭酸水素塩・硫酸塩泉
- pH…6.3 ● 泉温…36 ～ 37℃

大分県竹田市久住町有氏 4050-1
☎0974-77-2686
9：00 ～ 21：00（第 2 火曜定休）
入浴料：大人 500 円、子ども（中学生以下）300 円、3 歳未満無料

ぬる湯温泉 MAP

■……….PART1 全国各地のオススメぬる湯温泉
■……….PART2 癒しのアワアワ炭酸ぬる湯温泉
■……….PART3 ぬる湯を超えたひんやり温泉
■……….PART4 一生に一度は行きたい極上のぬる湯温泉
■……….おいしいごはんと湯を満喫！ 美食とぬる湯
□……….1泊2日で3つの湯を楽しめる はしご湯 in 山梨

【大分県】
■ 52…..壁湯天然洞窟温泉 旅館 福元屋
■ 53…..山里の湯
■ 54…..寒の地獄温泉
■ 55…..赤川温泉 赤川荘
■ 56…..七里田温泉 下湯
■ 57…..ラムネ温泉館

【岐阜県】
■ 43…..泉岳館
■ 44…..湯元 すぎ嶋
【三重県】
■ 45…..湯元 榊原舘
【島根県】
■ 46…..小屋原温泉 熊谷旅館
■ 47…..千原湯谷湯治場
【徳島県】
■ 48…..和の宿ホテル祖谷温泉

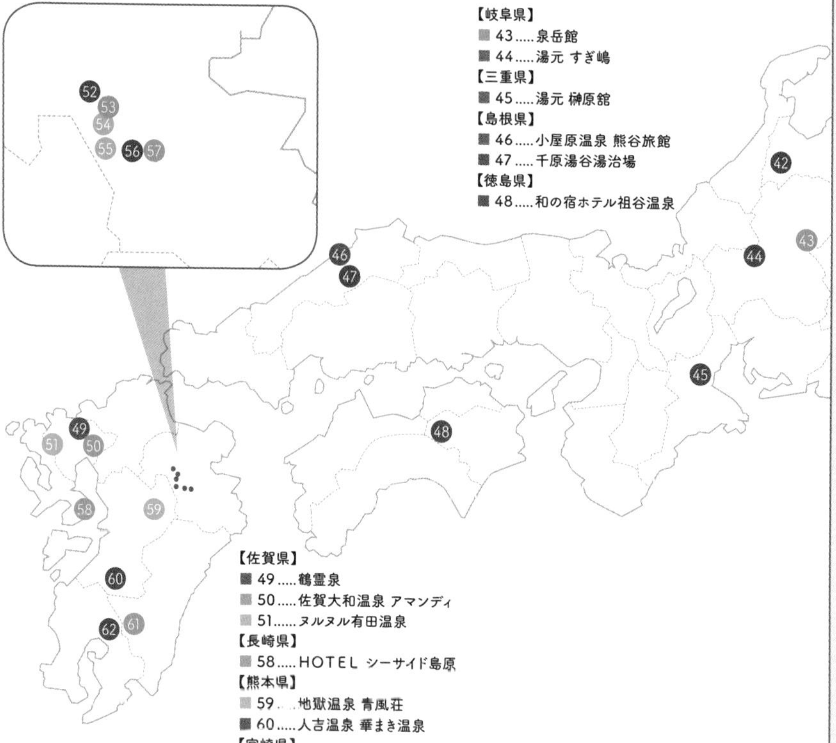

【佐賀県】
■ 49…..鶴霊泉
■ 50…..佐賀大和温泉 アマンディ
■ 51……ヌルヌル有田温泉
【長崎県】
■ 58…..HOTEL シーサイド島原
【熊本県】
■ 59…..地獄温泉 青風荘
■ 60…..人吉温泉 華まき温泉
【宮崎県】
■ 61……湯之元温泉
【鹿児島県】
■ 62…..おりはし旅館

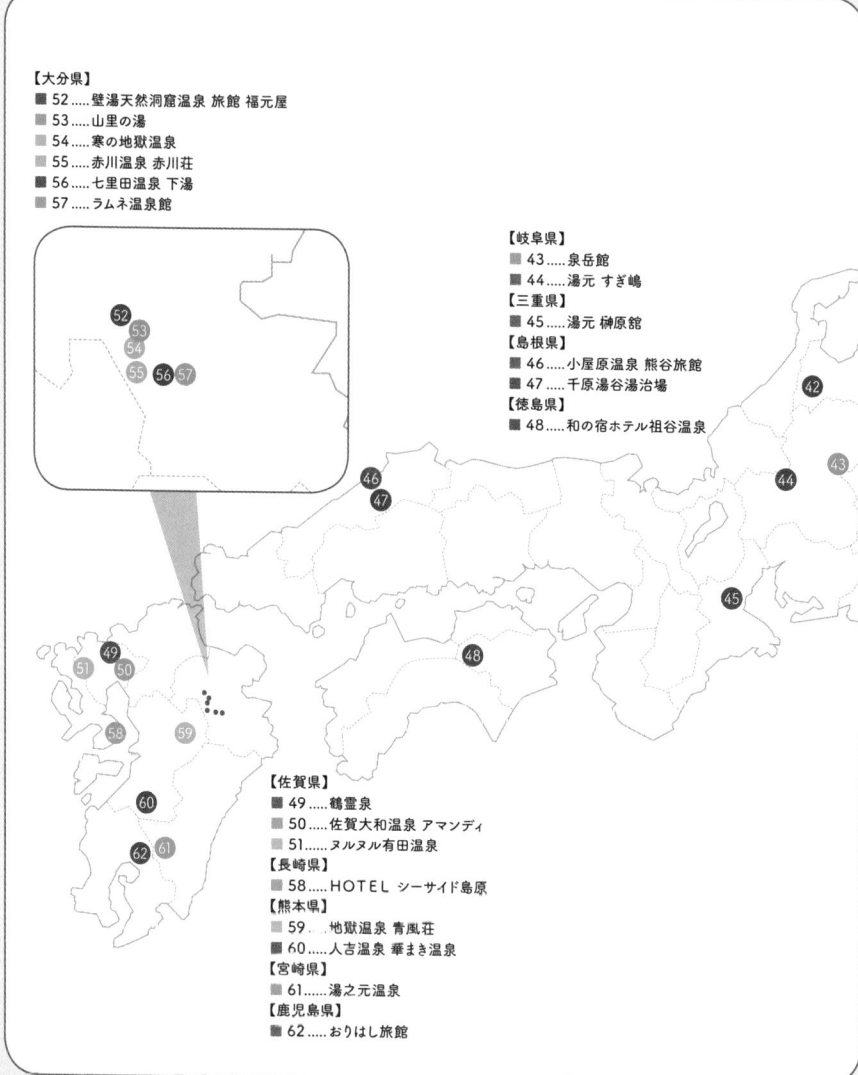

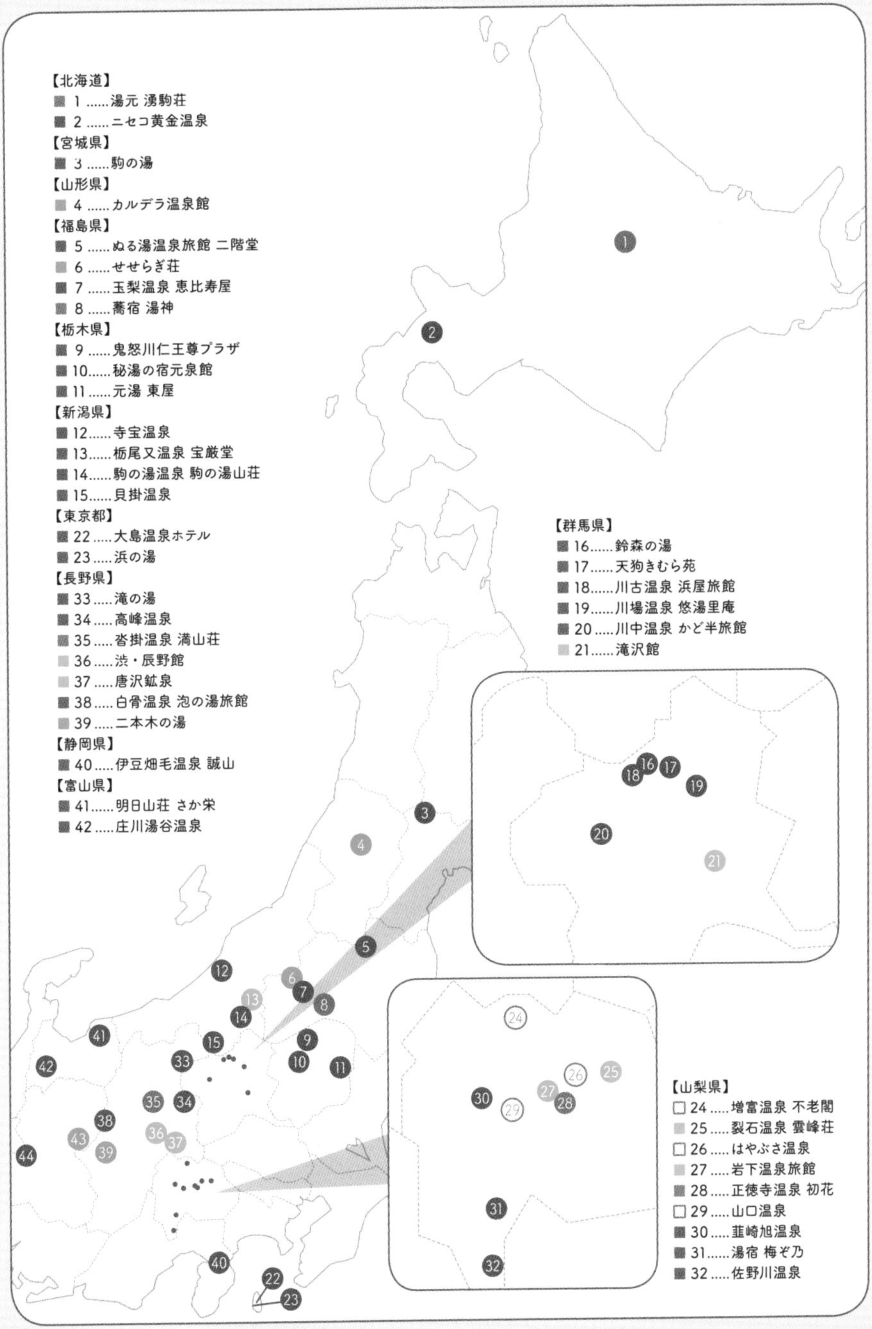
【北海道】
■ 1 ......湯元 湧駒荘
■ 2 ......ニセコ黄金温泉
【宮城県】
■ 3 ......駒の湯
【山形県】
■ 4 ......カルデラ温泉館
【福島県】
■ 5 ......ぬる湯温泉旅館 二階堂
■ 6 ......せせらぎ荘
■ 7 ......玉梨温泉 恵比寿屋
■ 8 ......蕎宿 湯神
【栃木県】
■ 9 ......鬼怒川仁王尊プラザ
■ 10......秘湯の宿元泉館
■ 11 ......元湯 東屋
【新潟県】
■ 12......寺宝温泉
■ 13......栃尾又温泉 宝厳堂
■ 14......駒の湯温泉 駒の湯山荘
■ 15......貝掛温泉
【東京都】
■ 22 .....大島温泉ホテル
■ 23 .....浜の湯
【長野県】
■ 33 .....滝の湯
■ 34 .....高峰温泉
■ 35 .....沓掛温泉 満山荘
■ 36 .....渋・辰野館
■ 37 .....唐沢鉱泉
■ 38 .....白骨温泉 泡の湯旅館
■ 39 .....二本木の湯
【静岡県】
■ 40 .....伊豆畑毛温泉 誠山
【富山県】
■ 41......明日山荘 さか栄
■ 42 .....庄川湯谷温泉
【群馬県】
■ 16......鈴森の湯
■ 17......天狗きむら苑
■ 18......川古温泉 浜屋旅館
■ 19......川場温泉 悠湯里庵
■ 20 .....川中温泉 かど半旅館
■ 21......滝沢館
【山梨県】
□ 24 .....増富温泉 不老閣
■ 25 .....裂石温泉 雲峰荘
□ 26 .....はやぶさ温泉
■ 27 .....岩下温泉旅館
■ 28 .....正徳寺温泉 初花
□ 29 .....山口温泉
■ 30 .....韮崎旭温泉
■ 31......湯宿 梅ぞ乃
■ 32 .....佐野川温泉

ぬる湯温泉 LIST & INDEX

MAP	都道府県	施設名	日帰り入浴時間	宿泊	掲載
1	北海道	湯元 湧駒荘	12：00 ～ 19：00	○	p.70
2	北海道	ニセコ黄金温泉	10：00 ～ 20：00	―	p.104
3	宮城	駒の湯	10：00 ～ 17：00	―	p.18
4	山形	カルデラ温泉館	4月～ 10月 9：30 ～ 18：30、 11月～ 3月 10：00 ～ 16：30、第 1・3 火曜定休	―	p.54
5	福島	ぬる湯温泉旅館 二階堂	10：00 ～ 17：00	○	p.20
6	福島	せせらぎ荘	9:00 ～ 21:00	―	p.56
7	福島	玉梨温泉 恵比寿屋	10:00 ～ 17:00（要確認）	○	p.106
8	福島	蕎宿 湯神	なし	○	p.76
9	栃木	鬼怒川仁王尊プラザ	9：00 ～ 21：00	○	p.21
10	栃木	秘湯の宿元泉館	8：00 ～ 20：00	○	p.24
11	栃木	元湯 東屋	要確認	○	p.22
12	新潟	寺宝温泉	7：00 ～ 21：00	○	p.110
13	新潟	栃尾又温泉 宝厳堂	なし	○	p.28
14	新潟	駒の湯温泉 駒の湯山荘	8：00 ～ 16：00	○	p.108
15	新潟	貝掛温泉	11：00 ～ 14：00	○	p.26
16	群馬	鈴森の湯	平日 11：00 ～ 20：30、土日祝日 10：00 ～ 21：00、 第 2・3・4 水曜定休、8 月は無休	―	p.16
17	群馬	天狗きむら苑	10：00 ～ 17：00、木曜定休	―	p.17
18	群馬	川古温泉 浜屋旅館	10：00 ～ 16：00	○	p.12
19	群馬	川場温泉 悠湯里庵	10：30 ～ 20：00	○	p.14
20	群馬	川中温泉 かど半旅館	なし	○	p.10
21	群馬	滝沢館	10:30 ～ 15:00	○	p.92
22	東京	大島温泉ホテル	6：00 ～ 9：00、13：00 ～ 21：00	○	p.30
23	東京	浜の湯	13：00 ～ 19：00	―	p.32
24	山梨	増富温泉 不老閣	12：30 ～ 15：00（要問合せ）	○	p.96
25	山梨	裂石温泉 雲峰荘	10:00 ～ 13:00	○	p.84
26	山梨	はやぶさ温泉	10：00 ～ 21：00、火曜定休	―	p.100
27	山梨	岩下温泉旅館	5 月～ 11 月 平日 15：00 ～ 20：00、土日祝 9：30 ～ 20：00、6 月～ 10 月全日 9：30 ～ 20：00、月曜定休	○	p.82
28	山梨	止徳寺温泉 初花	10：00 ～ 21：30、木曜定休	―	p.74
29	山梨	山口温泉	9：00 ～ 21：00、月曜定休		p.98

30	山梨	韮崎旭温泉	10：00 ～ 21：00、火曜定休	－	p.114
31	山梨	湯宿 梅ぞ乃	10：00 ～ 16：00	○	p.40
32	山梨	佐野川温泉	8：30 ～ 19：30	○	p.38
33	長野	滝の湯	10：00 ～ 18：00	○	p.34
34	長野	高峰温泉	11：00 ～ 16：00（ランプの湯のみ）	○	p.33
35	長野	沓掛温泉 満山荘	なし	○	p.72
36	長野	渋・辰野館	11：00 ～ 18：00（※不定休の為要予約）	○	p.80
37	長野	唐沢鉱泉	10：00 ～ 16：00	○	p.93
38	長野	白骨温泉 泡の湯旅館	10：30 ～ 13：30（14：00 退館）	○	p.36
39	長野	二本木の湯	10：00 ～ 19：00、木曜定休	－	p.66
40	静岡	伊豆畑毛温泉 誠山	7：00 ～ 23：00	○	p.46
41	富山	明日山荘 さか栄	11：00 ～ 20：00	○	p.42
42	富山	庄川湯谷温泉	9：00 ～ 16：00、木曜定休	－	p.112
43	岐阜	泉岳館	なし	○	p.58
44	岐阜	湯元 すぎ嶋	11：00 ～ 15：00	○	p.44
45	三重	湯元 榊原舘	9:00 ～ 20:00	○	p.47
46	島根	小屋原温泉 熊谷旅館	9：00 ～ 15：00 厳守（※宿泊客優先なので受付ないこともあり）	○	p.48
47	島根	千原湯谷湯治場	4 月～ 10 月 8：00 ～ 18：00、 11 月～ 3 月 8：00 ～ 17：00、木曜定休	－	p.116
48	徳島	和の宿ホテル祖谷温泉	7：30 ～ 18：00	○	p.118
49	佐賀	鶴霊泉	11：00 ～ 15：00	○	p.50
50	佐賀	佐賀大和温泉 アマンディ	朝風呂 6：30 ～ 8：50、10：00 ～ 23：00	○	p.62
51	佐賀	ヌルヌル有田温泉	10：30 ～ 22：30、第 3 水曜定休	－	p.94
52	大分	壁湯天然洞窟温泉 旅館 福元屋	9：00 ～ 19：00、不定休	○	p.120
53	大分	山里の湯	9:00 ～ 18:00（最終受付 17:00 ）火曜定休	－	p.67
54	大分	寒の地獄温泉	《温泉》金曜～火曜 10：00 ～ 14：00、 《冷泉》7 月～ 9 月までの木曜～火曜 9：00 ～ 17：00	○	p.88
55	大分	赤川温泉 赤川荘	10：00 ～ 18：00（営業日：金、土、日、月曜）	－	p.86
56	大分	七里田温泉 下湯	9：00 ～ 21：00、第 2 火曜定休	－	p.123
57	大分	ラムネ温泉館	10：00 ～ 22：00、第 1 水曜定休 （※ 1 月と 5 月は第 2 水曜定休）	－	p.60
58	長崎	HOTEL シーサイド島原	《湯治処》12：00 ～ 24：00 《展望大浴場》6：00 ～ 12：00、15：00 ～ 24：00	○	p.68
59	熊本	地獄温泉 青風荘	10：00 ～ 17：00、火曜定休	－	p.90
60	熊本	人吉温泉 華まき温泉	10：00 ～ 20：00	－	p.122
61	宮崎	湯之元温泉	10：00 ～ 22：00、第 1 水曜定休	○	p.64
62	鹿児島	おりはし旅館	9：00 ～ 17：00	○	p.51

構成・編集　Plan Link
デザイン　近江聖香 (Plan Link)
企画・進行　廣瀬祐志

【写真提供】（掲載順）
川場温泉 悠湯里庵／天狗きむら苑／秘湯の宿元泉館／貝掛温泉／滝の湯／湯元 すぎ嶋／泉岳館／ラムネ温泉館／佐賀大和温泉 アマンディ／湯之元温泉／ HOTEL シーサイド島原／湯元 湧駒荘／正徳寺温泉 初花／栃尾又温泉 宝巌堂／寒の地獄温泉／唐沢鉱泉／和の宿ホテル祖谷温泉

取材にご協力頂いた施設の皆様、
写真をご提供頂いた方々に心より感謝申し上げます。

本書でご紹介した施設の写真は、許可を得た上で撮影させて頂いたもの、または施設よりご提供頂いたものです。尚、各施設に関する情報は、2020 年 4 月現在のものです。料金には別途消費税、入湯税、サービス料等がかかる場合もあります。また、営業時間、入浴料、宿泊料等に変更が生じる可能性がある事をご了承下さい。

からだがよろこぶ！

ぬる湯温泉ナビ

2020 年 7 月 5 日　初版第 1 刷発行

著　者　植竹深雪
編集人　廣瀬祐志
発行人　廣瀬和二
発行所　辰巳出版株式会社
〒160-0022 東京都新宿区新宿 2 丁目 15 番 14 号 辰巳ビル
TEL 03-5360-8961（編集部）
　　03-5360-8064（販売部）
URL http://www.TG-NET.co.jp/

印刷　凸版印刷株式会社
製本　株式会社セイコーバインダリー

本書の内容に関するお問い合わせは、
FAX（03-5360-8073）、メール（info@TG-NET.co.jp）にて承ります。
恐れ入りますが、お電話でのご連絡はご遠慮下さい。

定価はカバーに表示してあります。

万一にも落丁、乱丁のある場合は、送料小社負担にてお取り替えいたします。
小社販売部までご連絡下さい。

ISBN978-4-7770-2557-8